HERVÉ COMMÈRE

Hervé Commère est né en 1974 à Rouen et vit aujourd'hui à Paris. Après *J'attraperai ta mort* (2009), il a publié *Les Ronds dans l'eau* (2011) et *Le Deuxième Homme* (2012) chez Fleuve Éditions. *Les Ronds dans l'eau* a été lauréat du prix Marseillais du Polar et du prix du roman de la ville de Villepreux. Ses romans sont traduits en Chine et au Japon. Son dernier ouvrage, *Imagine le reste*, a paru en 2014 chez le même éditeur, et a remporté le prix Plume de Cristal du Festival international du Film policier de Liège.

J'ATTRAPERAI
TA MORT

DU MÊME AUTEUR
CHEZ POCKET

J'ATTRAPERAI TA MORT
LES RONDS DANS L'EAU
IMAGINE LE RESTE

HERVÉ COMMÈRE

J'ATTRAPERAI
TA MORT

© 2012, Pocket, un département d'Univers Poche.
ISBN : 978-2-266-26676-5

Pour Chloé, mon Alice

Première partie

I

Avril 2002

On a passé la frontière et je lui ai enlevé le bâillon qu'il avait sur la bouche. Ses yeux étaient toujours bandés. Il a toussé, il a respiré fort. Puis il m'a dit que je mourrais jeune.

Il devait avoir l'âge de mon père, pas loin de la retraite sans doute. Je le tenais ligoté au pied du siège passager depuis plus de trois heures, depuis le parking de la station-service où il avait pris sa pause. Au moment où il remontait à bord, je lui avais mis mon revolver sur le front. Il avait aussitôt levé les bras en reculant, je l'avais fait grimper et je lui avais lié les chevilles aux poignets. Depuis, on roulait vers le nord. Dans à peine une heure je serais dans une chambre d'hôtel en train de compter mes billets.

Depuis trois semaines je n'avais vécu que pour ce coup-là. Ça avait nécessité une petite préparation. D'abord, tous les matins, voler une voiture sur Paris. Ni trop belle ni trop vieille et, surtout, sans GPS. Ne laisser aucune empreinte à l'intérieur. Conduire avec des gants vers le Mont-Saint-Michel. Et puis se poster dans un coin tous les soirs à dix-huit heures et surveiller les allées et venues. Attendre. Parfois, rien.

Alors retour sur Paris, laisser la voiture quelque part et aller dormir. Le lendemain, il fallait que j'en vole une autre. Le temps que le propriétaire s'en rende compte, appelle la fourrière, prévienne la police, qui de toute façon ne chercherait pas à la retrouver, je pouvais déjà avoir fait le plus gros du chemin.

Le premier jour, j'en ai vu sortir un. Je l'ai suivi en laissant plusieurs voitures entre nous, je le fixais de loin. Il a pris l'autoroute. Petit à petit, en voyant les panneaux défiler, je me suis dit que ça n'était pas pour cette nuit. Mais j'ai constaté que j'étais le seul à prendre le même chemin que lui depuis sa sortie de l'usine. Pas d'escorte, pas de protection. Je l'ai lâché vers Le Mans et je suis rentré.

J'en ai suivi quatre comme ça. Quand j'en voyais un sortir, je me raidissais d'un coup, je me mettais en route. Je continuais de regarder dans toutes les directions pour m'assurer qu'ils roulaient sans surveillance ; c'était sûr, les gars étaient seuls. Ça devait faire une dizaine de jours que j'étais là quand le deuxième a pris le départ. Ça n'était pas encore le bon, on allait vers le sud. Je l'ai filé quand même, de très loin. Il a fait une pause avant Limoges, il devait être minuit.

J'ai vu le grand gars se diriger vers le self, je suis entré et, comme lui, j'ai pris un plateau. Il y avait deux ou trois types éparpillés qui mangeaient en solitaires. La fille lui a servi un steak, j'ai pris la même chose en essayant de me dépêcher, il s'est attardé devant les desserts, je l'ai rattrapé, on est passés à la caisse ensemble. Il est allé s'installer et je lui ai demandé si je pouvais partager sa table. Il a levé les yeux vers moi.

« Oui, ça doit vous paraître bizarre mais je roule tout seul depuis Calais. J'ai envie de discuter. »

Il m'a désigné la chaise d'un mouvement de menton, sans dire un mot, je me suis assis. J'ai dit que j'étais représentant, que je passais mon temps sur la route et dans tous les sens. Il ne prêtait aucune attention à moi, il mastiquait en silence, tout à son assiette. Au moment de la crème caramel, j'ai fait semblant de m'intéresser à lui. J'ai demandé ce qu'il faisait dans la vie, j'y suis allé de mon petit commentaire. Je le dérangeais franchement, mais j'ai continué, j'ai posé des questions l'air de rien, il répondait sans me regarder.

Il n'a pas essayé de noyer le poisson. Depuis le début il croyait m'impressionner et ça lui plaisait. Il a tout déballé en soupirant. D'où il venait, où il allait, ce qu'il transportait, tout. Je l'ai regardé en feignant l'admiration.

« Vous ne pouvez pas m'en vendre un, en douce ? j'ai avancé. Pour ma femme ? »

Il m'a toisé comme un gamin, un peu énervé, il a dit que tout était compté minutieusement.

« C'est pas des salades ou des tomates, il a soufflé. Faut réfléchir, un peu. »

Je fais que ça, mon pote.

J'ai insisté pour payer le café. Nous l'avons pris debout devant la machine. Il faisait au moins une tête de plus que moi, un vrai colosse, ça tombait bien, ça le rendait encore plus sûr de lui. J'ai à nouveau parlé de son chargement, je lui ai dit :

« Mais quand même, c'est dangereux votre truc, vous êtes seul ? Remarquez, je suppose qu'il y a un système de navigation caché quelque part à l'arrière pour retrouver le camion, si jamais… »

Il m'a regardé, avec son petit sourire. Il m'a dit qu'il n'y avait rien et il a jeté son gobelet.

« Il y a moi », il m'a dit en me broyant la main.

Je l'ai regardé partir, j'ai rejoint la voiture. Sur la route du retour, je pensais à ce gros con et à la gueule qu'il aurait faite s'il avait dû rouler vers le nord au lieu de se rendre à Marseille comme il me l'avait appris. Je me suis même dit que ce serait marrant de retomber sur lui le jour J, rien que pour voir sa réaction. Parce que là, il n'y avait plus la moindre hésitation à avoir, cette histoire, c'était du gâteau.

J'ai continué mes allers et retours et mes planques devant l'usine. J'étais là, pas loin, à attendre. J'ai suivi le troisième comme les deux précédents. Au départ j'y ai cru, à celui-là. Mais il s'est arrêté à l'entrepôt de Paris.

Et puis, au bout de trois semaines, le bon numéro est tombé. Nous sommes sortis de Juilley vers dix-neuf heures, il s'est dirigé vers l'A84. Il est monté vers Caen, j'étais à plus de cinq cents mètres derrière. Il faisait déjà nuit quand nous avons passé Paris. Il a bifurqué sur l'A4, je ne le quittais pas des yeux. Nous n'étions pas loin de Reims quand il a pris sa pause. Il a d'abord fait le plein puis s'est garé un peu plus loin sous un réverbère. Il est allé aux toilettes. Grand comme moi, lui. Bedonnant, moustachu, le routier parfait. Ensuite il est allé boire un café. J'ai abandonné la voiture, une Clio, ce jour-là, en regardant si je n'avais pas laissé de trace à l'intérieur, pas de mégot, rien, pas d'empreinte, pas de cheveux. J'ai glissé mon revolver sous mon pull, j'ai baissé ma casquette au maximum et je suis rentré dans la station-service. Il était de dos, en train de feuilleter des magazines.

Il était deux heures du matin, il n'y avait pas un chat, nous étions dans la bonne direction. Je suis allé prendre un coup de coke sur la lunette des W.-C., je me suis passé la tête sous l'eau et je suis ressorti, prêt à bondir. Il sortait aussi, je l'ai suivi, je marchais vite, il a tourné au coin de sa remorque et je l'ai attrapé par l'épaule, il a sursauté et je lui ai collé le canon entre ses deux yeux écarquillés de frayeur, je lui ai dit de fermer sa gueule, je lui ai pris sa clé, je l'ai bâillonné et ligoté, j'ai coupé son téléphone et sa CiBi et j'ai démarré le poids lourd. Ça avait duré moins d'une minute.

Son plan de route était collé sur le tableau de bord. Il était quasiment à mi-chemin quand je lui étais tombé dessus, il allait à Strasbourg. Un dépôt pour l'Allemagne, sans doute.

Je me suis allumé une cigarette. On filait à cent dix, on avait déjà traversé la Belgique sans un contrôle. Et puis avant qu'on s'inquiète de son retard en Alsace, je serais déjà libre et plein aux as.

« Tu mourras jeune », il a répété.

Il parlait tout doucement, ça avait l'air de lui faire de la peine.

« Je t'ai pas bien vu, tu sais. Je crois que je pourrais même pas te reconnaître. Mais j'ai vu que tu étais pas vieux. »

Je n'ai rien répondu. J'étais concentré. Je fixais la route et l'horloge.

« Tu m'emmènes où ? »

J'ai soufflé la fumée sur le pare-brise.

« Tu peux me le dire, de toute façon je le saurai en sortant du camion.

— Sauf si je te tue », j'ai lâché.

Il n'a plus rien dit. Je l'ai regardé sans qu'il le sache. Je me suis dit qu'il ne devait pas s'attendre à ça en montant dans son camion cet après-midi. J'avais les mains serrées sur le volant, on approchait.

« On est bientôt arrivés », j'ai dit.

Et comme il restait bien silencieux j'ai ajouté :

« À Rotterdam. »

Mario avait commencé par me prendre dans ses bras, façon parrain de la mafia, dans son salon pourri. Et puis il avait demandé à ses gars de me prendre mon arme et de nous laisser seuls. C'était sa marque d'estime. L'honneur d'un tête-à-tête. Il avait servi deux vodkas sans glace et avait sorti un sac de coke gros comme un oreiller. Il avait fait deux rails sur la table basse en prenant son temps et m'avait invité à y goûter en premier.

Il était quatre heures du matin. Mario ne dormait jamais, pas le temps, il y avait trop de trafics à faire. La drogue, le jeu, les putes, les voitures, le racket, le recel en tout genre, il gérait tout ça depuis son immense appartement tout vide. Pire quartier de la ville, dernier étage de l'immeuble et un arsenal prêt à servir. Il m'a regardé en souriant.

« Tu es fou », il m'a dit.

Il s'est relevé et a marché vers la fenêtre. Il s'est penché, il a vu le semi-remorque garé dans la rue.

« Et il y en a combien ? il a demandé sans se retourner.

— Six mille. »

Il a éclaté de rire.

Nous sommes descendus avec trois de ses gars. J'ai attendu d'être en bas pour lui parler du chauffeur. Il s'est énervé d'un coup. Je l'ai rassuré en lui disant que le pauvre bonhomme ne savait pas où on se trouvait, qu'il n'avait rien vu, qu'il suffisait de le larguer en pleine nature. Il a désigné un des types pour s'en occuper, ils l'ont chargé dans le coffre d'une voiture et ils ont disparu.

Puis nous sommes allés à son entrepôt, une espèce d'ancienne usine pas loin du port. J'ai garé le semi au milieu du bordel, on a allumé deux gros spots et ouvert les portes. Il a eu un sifflement admiratif.

Un chargement complet, exactement ce que je lui avais dit. Vingt-six palettes. Sur chacune d'elles, deux cents boîtes super-chic. À l'intérieur, des jolis certificats d'origine « fabriqué en France » et, surtout, des sacs en croco Louis Vuitton à mille euros la bête dans les magasins de luxe.

Mario a dit à ses gars de vider le camion et de tout compter. Nous, nous sommes retournés chez lui. Dans son salon, il a ressorti sa vodka tiédasse et s'est mis à calculer à voix haute. De temps en temps, il s'arrêtait sur moi et se remettait à rire. Et puis son téléphone a sonné, il a dit « OK » et il a raccroché. Il s'est rassis et son regard a changé. Il a repris un rail de coke et m'a parlé en détachant bien les mots.

« T'as fait du bon boulot, il m'a dit. Je t'offre trois cent mille euros. Je garde le camion. Sans discussion. »

Je me suis penché sur le rail qu'il m'avait préparé, j'ai inspiré tout à fond en levant les yeux au ciel. Quand je les ai ramenés sur lui il me fixait avec le sourire.

« OK », j'ai dit.

Il s'est levé, est sorti puis est revenu avec six liasses de billets de cinq cents et mon arme.

« Il va te ramener à la gare, il m'a dit en me montrant un type qui se trouvait dans l'entrée. Reviens quand tu veux. »

Il m'a pris dans ses bras en guise d'au revoir.

À sept heures du matin, je compostais mon titre de transport et le train quittait Rotterdam, direction Paris. À midi, je pénétrais dans Saint-Lazare au milieu de la foule des voyageurs. À quatorze heures, je sortais de la gare de Rouen et je descendais la rue Jeanne-d'Arc à pied. Trente minutes plus tard, j'étais dans mon canapé place des Carmes, seul, et je reprenais mon souffle. Devant moi, il y avait des centaines de billets mauves. Je me suis endormi tout habillé en contemplant le trésor.

II

J'ai trente ans. J'ai sauté à l'élastique et testé toutes
les drogues, je suis cloué sur un lit d'hôpital et j'ai
envie de braquer une banque. Il y a encore pas longtemps, je courais vingt kilomètres tous les matins et
je fumais une cartouche par semaine. J'avais tous mes
points sur le permis de conduire et du bonus à l'assurance, un revolver dans la boîte à gants et les codes
allumés en plein jour. On m'a appelé « monsieur »
dans deux ou trois palaces et le maton qui garde ma
chambre n'en saura jamais rien. J'ai commencé par travailler comme tout le monde, mais ça n'a pas duré, le
Taormina a dû se trouver un nouveau serveur. J'y étais
retourné quelques mois après avec une fille, le patron
m'avait ignoré, j'avais laissé un pourboire démesuré.

Je n'ai jamais planté d'arbre mais je n'en ai pas
déraciné non plus. Je n'ai jamais vu de baleine. J'ai
parfois laissé quelqu'un pour mort mais je n'ai jamais
tué personne. En tout cas pas directement.

La dernière fois que j'ai fait usage de mon arme,
c'était il y a deux ans, sur le parking d'une station-
service près de Reims. Depuis, j'ai fait suspendre pendant trois mois la tournée d'une comédie musicale et

j'ai construit une véranda. J'ai transformé ma voix et emprunté plusieurs identités. En vérité, je m'appelle Paul Serinen. Tout part de là. Je crois que même mes parents ne le savent pas. Ils viennent me voir tous les jours, mon avocat a obtenu ça. Ils m'ont dit que mon frère allait me rendre visite, il sort dans une semaine, c'est bien, j'ai quelque chose à lui dire. Je me suis fondu dans la masse et j'ai fait des scandales dans les bars à cocktails. Peut-être que grâce à moi, mais contre mon gré, un pauvre mec prend tous les matins son café crème en liberté. Je ne sais pas. J'ai passé des nuits blanches à guetter le moindre bruit, j'ai dormi sans éteindre la lumière et j'ai passé des journées les volets fermés. Je connais beaucoup de monde mais personne ne sait qui je suis.

Une des infirmières m'a montré son collier de fiançailles. Ça lui allait bien. Je n'ai jamais dit « je t'aime » mais j'ai fait le coup du siècle.

Avril 2002

Je me réveillai aux aurores, le soleil se levait à peine. Au Bar des Fleurs, en face, les garçons étaient en train de sortir la terrasse. J'avais dormi d'une traite, tout habillé sur le canapé. Je remis les billets dans un sac et rangeai mon revolver au fond du bac à linge sale. Sous la douche, je me mouchai plusieurs fois pour bien me nettoyer les narines. J'y restai longtemps, à me savonner et boire des lampées d'eau chaude. Mais ça ne partait pas. Une drôle d'impression.

J'allai courir dans les jardins de l'hôtel de ville, je mis ma capuche aussitôt dehors. Je fis quelques accélérations, je me retournai souvent. Pour rentrer, je pris un chemin différent. J'avais pensé acheter des croissants mais je ne m'arrêtai pas. Je passai devant la boulangerie en courant sans tourner la tête, le cou enfoncé dans les épaules.

Une fois chez moi, je refermai à double tour, je vérifiai que l'argent et mon arme étaient toujours là et retournai sous la douche. D'habitude, je mettais de la musique, mais pas ce matin-là. Je dirigeai le jet pour que l'eau fasse le moins de bruit possible. Je me séchai tout doucement.

À travers les rideaux de mon salon, je vis les premiers clients du bar. Je n'avais rien mangé depuis deux jours mais j'avais juste soif. Ça n'allait pas. Le sentiment bizarre que j'avais depuis le réveil prenait du volume. Je m'allumai une cigarette. Je fis quelques pas au hasard, je ressortis le sac de billets, palpai les liasses en tirant sur mon filtre et je ne me calmai que six mois plus tard, après des milliers de kilomètres.

Le visage du chauffeur ne me quittait pas. Je bus un grand verre d'eau adossé au mur, à droite de la porte d'entrée. Comme si quelqu'un allait surgir et que je veuille le prendre par surprise. Il était huit heures et dans la rue le trafic s'intensifiait. Les gens commençaient leur journée et, parmi eux, le personnel du groupe Louis Vuitton, mille employés peut-être, répartis sur la France entière, et qui aujourd'hui parleraient de moi sans me connaître. Je pris une autre cigarette. La Clio devait être passée au peigne fin. Je me mis à tourner en rond. J'étais sûr qu'ils trouveraient quelque chose.

En trois semaines, j'avais volé quatorze voitures. Et la seule précaution avait été celle de les prendre sur Paris pour soi-disant brouiller les pistes. Tous les jours, j'avais fait la même route avec mes gants et, tous les jours, plein de gens avaient pu me voir. Tous les jours, j'avais laissé les mêmes traces de semelle sur les pédales. Tous les jours, j'étais resté près de l'usine à observer, assis dans la bagnole, le crâne contre le repose-tête, les cheveux contre le tissu. Le chauffeur m'avait à peine vu et aurait peut-être oublié mon visage mais l'autre, le gros con, j'avais passé une demi-heure à lui parler, il avait déjà dû donner mon signalement aux flics.

Et puis j'avais dit au petit gros qu'on allait à Rotterdam. Six mille sacs en croco, ça allait donner lieu à une enquête ; si ça ne venait pas de la police, ce serait Louis Vuitton qui s'en chargerait. J'ai paniqué. On devait être en train de passer les vidéos de surveillance de la frontière au ralenti, peut-être que ma tête était déjà en gros plan dans tous les commissariats. Sans parler des caméras des gares, j'avais été filmé à Rotterdam, à Paris, à Rouen, tout ça dans l'ordre, avec l'heure en bonus. Le chauffeur pouvait témoigner, braquage à main armée, séquestration, menace de mort, à moins que Mario l'ait fait liquider, auquel cas, en prime, je serais accusé de meurtre quand on retrouverait son corps. J'avais semé des indices tout le long de mon parcours.

Je me suis rué sur le paquet de billets, le soleil donnait en plein dessus, ça m'a fait l'effet d'un projecteur braqué sur moi. J'entendais des pas dans l'escalier depuis mon réveil, j'avais l'impression que les garçons du Bar des Fleurs levaient les yeux vers ma fenêtre, je sentais une odeur étrange, j'avais peur de tout. Je pris l'argent et mon arme, je fourrai dans un sac tout ce que je portais la veille, y compris les chaussures et mon blouson en cuir, et je déguerpis.

Je courus à ma voiture. Un fourgon de police passa au pas, il tourna au coin et je filai dans l'autre sens. Je sortis de Rouen comme si j'avais entendu les sirènes derrière moi. Je m'arrêtai en forêt, je fis brûler mes fringues et jetai le blouson un peu plus loin – il serait récupéré par un promeneur dans la journée. Je redémarrai en trombe. J'appelai Laurent d'une cabine, je lui dis que je partais vivre au Maroc, qu'il pouvait vider mon appartement, et coupai.

Je roulai sans desserrer les dents. J'avais mis le flingue sous mon siège, prêt à m'en servir, j'étais terrifié. J'arrivai à Saint-Malo vers midi, je me plantai devant les horaires. J'avais loupé le dernier départ, il fallait attendre vingt-quatre heures. J'emmenai ma voiture au milieu des immeubles à la sortie de la ville. Je la laissai ouverte, les clés dessus, et je retournai à pied vers le centre. Je me dirigeai intra-muros m'acheter un pantalon et une chemise de rechange. En me regardant dans le miroir, la vendeuse derrière moi, je ne voyais que mon visage, il me sautait aux yeux. Je sortis un billet de cinq cents euros à la caisse, elle ne tiqua pas. Elle le passa juste sous un rayon bleuté pour vérifier qu'il était vrai. J'étais en apnée. Elle me rendit ma monnaie et me tendit mon sac, tout sourire.

Puis je revins sur mes pas, vers l'hôtel Chateaubriand et son air de forteresse. Je traversai les terrasses pleines tête baissée. Je demandai une chambre au dernier étage, au-dessus des remparts, avec vue sur la mer. Je verrouillai derrière moi et j'allumai la télé, les infos régionales, rien sur mon braquage. Je trépignai tout l'après-midi en regardant l'horizon, l'oreille tendue au moindre bruit. Au journal du soir, on ne parlait toujours pas de moi mais ça ne me rassura pas. Je regardai le film sans le voir et m'endormis devant les clips après avoir vidé le minibar.

L'appétit n'était revenu que sur le bateau. La traversée durait deux heures. Pendant ces deux heures-là au moins, j'avais eu la certitude de ne rien risquer. J'étais allé me prendre une grosse part de lasagnes. J'avais même trouvé ça bon. Avec un peu de chance, ma voiture était déjà dans un autre département et j'avais coupé mon portable en quittant le port. Quand je le rallumai, à mon retour, j'avais une dizaine de messages. Aucun ne concernait mon braquage. Quelques propositions, deux ou trois bonjours, un baiser de Véra et un gros merci de Laurent pour mes meubles.

J'étais resté trois semaines à Jersey. J'avais eu l'impression de me tenir à l'écart du monde. Les banquiers m'avaient accueilli sans suspicion, les patrons de l'hôtel où je dormais ne m'avaient posé aucune question et mes billets mauves ne les avaient pas intrigués. J'allais courir tous les matins le long de la plage et, au retour, je prenais un café sur le port en essayant de déchiffrer le journal.

J'avais retourné le problème dans tous les sens et j'étais à peu près remis de mes émotions. Il me semblait maintenant que je ne m'en étais pas si mal tiré. D'abord, pour les voitures, mon idée de les voler à Paris avait été plutôt bonne. Là-bas, il devait s'en voler cent par jour. Et quand, par miracle, on en retrouvait une, on devait se contenter de la rendre à son propriétaire, on ne sortait sans doute pas l'attirail scientifique pour si peu. Et puis la Clio que j'avais laissée à Reims ne comportait ni empreintes ni mégot et certainement pas de cheveux non plus : je ne m'étais pas appuyé contre le repose-tête et, surtout, ce soir-là, j'avais ma casquette.

Du coup, sur les vidéos, ce qui se verrait, ce serait

ma visière. On ne devait distinguer qu'une petite partie de mon menton, et encore. Le seul à pouvoir me reconnaître formellement, c'était le colosse, le gros con en face duquel j'avais mangé à Limoges. Lui oui, il m'avait bien vu. Mais il m'avait tellement peu regardé que ça ne mènerait peut-être pas bien loin les portraitistes. Quant à l'autre chauffeur, le petit gros, il avait, un canon entre les yeux, aperçu deux secondes mon visage en furie, puis plus rien.

Au bout des trois semaines j'étais retourné à la banque, le directeur m'avait reçu dans son bureau. Toutes vérifications faites – je me demande bien lesquelles –, il avait consenti à m'ouvrir un compte et à y placer mon argent. Il m'avait remis un chéquier en euros, une carte de crédit, et m'avait assuré du plaisir qu'il avait eu de faire affaire avec moi. J'avais fait un dernier saut au cybercafé, on ne semblait toujours pas avoir diffusé de portrait robot.

Je descendis du ferry à Saint-Malo et je marchai vers la gare. J'avais vu un film quelques jours plus tôt dans ma chambre d'hôtel. C'était en anglais, avec Steve McQueen, je n'avais pas tout compris mais la technique semblait astucieuse. J'y avais repensé pendant la traversée, mais c'était encore flou, il fallait que ça mûrisse. La seule certitude que j'avais pour l'instant, c'est qu'il était grand temps que je me calme. J'avais joué avec le feu trop souvent et j'avais eu trop de chance pour que ça dure.

Je tombai sur un article quelques mois plus tard sur la psychologie des truands, la journaliste expliquait qu'ils gaspillaient l'argent tant qu'ils le pouvaient dans les jeux de hasard, le casino en tête, et que c'était une manière de chercher une sorte de loi qu'ils ne puissent ni contrôler ni enfreindre. Elle disait aussi que l'argent leur brûlait les doigts. En lisant ça, je m'étais dit que depuis le coup des sacs en croco, j'étais l'exception qui confirmait la règle.

Pour l'heure, en marchant vers mon train, je me disais seulement que je n'avais plus envie de prendre aucun risque. Je me disais aussi que je possédais un compte bien garni, un chéquier, une carte bleue, et que je pouvais voir venir. Je n'avais pour l'instant pas d'autre projet que d'aller passer une semaine à Paris chez Véra et ses seins magnifiques. La vague idée que j'avais eue en pleine mer, on verrait ça plus tard, dans un an. Dans ma maison qui, à cette époque-là, n'avait pas encore de véranda.

III

Mai-décembre 2002

Il m'a fallu beaucoup de temps avant que ma para-
noïa se dissipe. Ou plutôt avant que je l'apprivoise
et que j'apprenne à vivre avec. Je n'étais pas resté
deux jours à Paris, mes angoisses m'étaient revenues
de plein fouet. La circulation, le fouillis continuel et
ces milliers de fenêtres, tout ça m'avait pesé si fort
sur le cerveau que même dans ce restaurant pourtant bien feutré, le premier soir avec Véra, je n'avais
ouvert la bouche que pour la commande au serveur.
J'avais passé le repas à scruter chacun des clients, mes
jambes n'avaient pas cessé de trembler sous la table.
Une fois couchés, même ses caresses et la dilatation
de ses pupilles n'étaient pas parvenues à m'accapa-
rer complètement. J'avais pris la fuite.

Dans les temps qui suivirent, je pris des dizaines
de trains. Cela dura des mois. Je regardais le paysage
défiler par la fenêtre et m'arrêtais au hasard. Je choi-
sissais un hôtel et je m'y installais, parfois seulement
pour quelques heures, parfois pour plus longtemps.
Je sortais manger sans but précis, ça alla du menu
gastronomique au croque-monsieur sur le bar. Pendant des années, j'avais confié mes chemises et mes

costumes à une repasseuse que je payais royalement. Maintenant, j'allais au Lavomatic. Et puis quand les voix dans ma tête se faisaient à nouveau entendre, je reprenais ma valise pour aller me cacher plus loin.

Je n'allumais plus mon téléphone que très rarement. Au départ, j'avais eu quelques messages, on me demandait ce que je foutais, si j'avais besoin d'aide, si j'étais intéressé par ceci ou cela en employant des codes dignes de gamins de cinq ans, ça me donnait des frissons. Puis à mesure que je me terrais dans des villages de plus en plus reculés, on se soucia de moins en moins de ce que je pouvais devenir. Vers le milieu de l'été, j'étais parvenu à me faire complètement oublier. J'étais seul avec ma valise, je traînais de gare en gare. J'étais en sommeil. Même à Mâcon, quand je vis celui que j'allais par la suite appeler Oberkampf, sur le coup je ne réagis pas, je ne pensai à rien. Je n'avais pas encore la tête à ça. Je traversais les villes sans les voir, surtout sans me retourner.

Mes voyages et mes angoisses prirent fin début décembre après plus de six mois d'errance. Je m'étais progressivement rapproché de la côte normande, la proximité de l'océan et l'horizon dégagé m'apaisaient. Je me sentais à l'abri, retranché. J'avais l'impression qu'ici j'avais moins à redouter qu'ailleurs. Je logeais dans un hôtel près du terminal, au Havre, et j'avais loué une voiture. Je sillonnais les routes alentour, sans jamais trop m'éloigner de la mer. Je marquais des pauses devant quelques boutiques et ma lecture du journal ne se résumait plus aux faits divers. Je m'étais même surpris à sourire tout seul deux ou trois fois.

C'est à Fécamp que je tombai sur ce que je cherchais depuis des mois sans m'en être vraiment rendu compte. La secrétaire mit l'annonce en vitrine sous mes yeux. Je rentrai, le notaire tout bouffi me reçut dans son bureau tendu de tissu bleu roi. Sans me prêter le moindre regard, il me fit un descriptif de la situation. La grand-mère était enterrée depuis la veille, les enfants voulaient vendre au plus vite et ne remettre les pieds dans le coin que l'année prochaine à la Toussaint.

Le clerc m'emmena faire la visite. Au bout d'un chemin bordé d'arbres, il y avait une sorte de clairière et trois petites maisons en pierre qui se tournaient le dos les unes aux autres. La mienne était la première sur la droite, elle s'appelait La Sauvagère, j'aimais bien le nom. Celle du fond était occupée par un couple de retraités. La troisième était à louer depuis des lustres et, vu le loyer demandé, ça ne risquait pas de changer de sitôt. Tout ça à cinq minutes à pied du centre. Du centre d'Étretat et de ses falaises calcaires qui piquent dans la Manche.

J'étais le premier à la voir et je pris ça comme un signe de plus. Je ne discutai pas. Je fournis mes coordonnées bancaires et, renseignements pris, maître Martineau me convia pour la vente. Les héritiers lui avaient donné procuration, nous signâmes l'acte en tête à tête une semaine avant Noël.

Janvier-mars 2003

Véra n'était pas seule, il y avait un type chez elle. C'est lui qui m'avait ouvert. J'avais dit que je passais juste dire bonjour et c'était presque vrai. On avait pris un café, on avait parlé de tout et de rien. J'étais allé aux toilettes et j'avais récupéré mon revolver, que j'avais planqué derrière le coffrage de sa baignoire sans le lui dire six mois plus tôt. J'étais reparti très vite. Sur le pas de la porte elle m'avait fait un clin d'œil et j'avais compris que le type devait être plein aux as mais je n'avais pas relevé. Je n'avais toujours aucune envie ni de me mouiller directement ni de faire équipe avec qui que ce soit.

J'avais aménagé la maison, je m'y sentais bien. Le salon était confortable. Depuis ma chambre, sous les toits, je voyais un petit bout de la mer par la fenêtre ronde. Sous l'autre partie des combles, celle-là sans ouverture, il y avait ce que j'avais appelé mon bureau. En fait de bureau, j'avais installé une planche sur deux tréteaux, une chaise, une lampe assez puissante et quelques feuilles volantes. Toutes vierges. Celles sur lesquelles j'avais écrit étaient parties en fumée dans la cheminée. Inutile de laisser le moindre indice. Et puis c'était encore flou. Je m'étais remis doucement à fonctionner.

Je ne mangeais plus au restaurant depuis que je vivais là. Je m'étais mis à la cuisine, c'était même devenu une de mes occupations favorites. Je regardais des films, j'avais retrouvé celui avec Steve McQueen en version française mais ça n'apportait pas grand-chose. L'idée était là mais on ne savait pas vraiment comment il s'y était pris. Il fallait réfléchir encore. Et je m'étais enfin remis à lire. J'y passais des heures. J'étais bien. Mes semaines se déroulaient parfois sans que je parle à personne. Le couple de retraités à côté avait essayé de lier connaissance mais ils avaient rapidement laissé tomber face à mon silence.

Tous les matins, j'allais courir sur la falaise, le long du golf. Je jetais toujours un regard à l'aiguille qui sortait des flots au passage. J'avais balancé mon téléphone à l'eau dès le début, en gardant quand même tous les numéros du répertoire. J'étais injoignable. J'étais surtout bien caché.

Il m'arrivait encore de me croire surveillé, mais c'était de moins en moins fréquent. Ça faisait bientôt un an que j'avais détourné ce poids lourd, le chargement de sacs en croco s'était éparpillé aux quatre coins de l'Europe ou du monde depuis un bail. Sur les planches, à Deauville, j'avais croisé une blonde qui en portait un. J'avais souri derrière mes lunettes de soleil, c'était peut-être un des miens. Mon petit chauffeur avait dû reprendre ses tournées, mon appartement avait sans doute accueilli de nouveaux locataires et ma voiture de sport devait faire le bonheur d'un gars dans mon genre. Moi, je prenais un café en terrasse sur le port d'Honfleur et le printemps s'installait.

Mes oreilles et mes yeux fonctionnaient à merveille. J'avais imaginé deux ou trois coups à faire mais la méthode était encore bancale. Je fumais une cigarette sur la digue en essayant d'emboîter les pièces du puzzle ; il en manquait une, toujours la même. Alors je continuais à marcher, le nez au vent. J'avais tout mon temps. Et puis parfois, loin de tout ça, Paul Serinen pensait juste à ce qu'il se préparerait à manger le soir, dans sa maison d'Étretat.

Avril 2003

Ne pas se faire prendre. C'était le cœur du problème. Ne plus jamais risquer la prison. Le seul moyen d'éviter tous les risques, c'était d'être invisible. Et l'unique façon d'être invisible, c'était d'être ailleurs. Restait à définir qui, comment et où. Mais la volonté était là : rester blanc comme neige. J'avais pris ma décision sur le ferry qui me ramenait de Jersey et j'avais, depuis, passé pas mal de nuits sur la question. Pour ne pas se faire prendre, il fallait simplement ne pas faire le coup.

Donc faire travailler des types à ma place. N'être que le commanditaire, le cerveau. Le marionnettiste. Faire les repérages et tout préparer au millimètre.

Rester dans l'ombre et les regarder suivre mes ordres à la lettre.

Que les gars eux-mêmes ne sachent pas pour qui ils bossent ni ce qu'ils sont en train de faire. Monter une équipe dont aucun des membres ne pourrait balancer pour la simple raison qu'il ne serait au courant de rien. Qu'aucun ne sache quoi que ce soit sur ce qui se trame et s'en tienne au rôle que je lui aurais confié.

Et que les gars ne se connaissent pas entre eux. Qu'ils n'aient pas à se croiser. Cloisonner. Que chacun, sans le savoir, apporte sa petite pierre à l'édifice. Que chacun ait sa tâche à remplir, son enveloppe et ses œillères. Aucun risque. Zéro défaut.

J'étais affalé dans mon canapé, je regardais un reportage sur les répétitions des cordes. Je buvais un whisky. Tout était prêt, même les surnoms. Mais la question continuait de m'obséder : qu'est-ce qui pouvait pousser quelqu'un à m'obéir et à travailler pour moi sans jamais m'avoir vu, sans savoir qui j'étais et, surtout, sans se faire la belle avec le fric ?

IV

Septembre 2003

Il a dépassé les pompes et s'est garé en épi près de la cafétéria, pile à l'heure. Les vingt-deux filles sont descendues, plus quelques mecs. Le chauffeur a fermé à clé et tout le monde s'est dirigé vers le Restoroute en discutant. J'ai attendu qu'ils soient tous rentrés et j'ai appelé Opéra.

Il patientait dans sa voiture, je l'ai regardé en sortir et marcher vers le car, personne en vue, il a déverrouillé la portière et est parti aux toilettes comme je le lui avais dit. J'ai bipé Gallieni, qui se trouvait à l'autre bout de l'aire de repos. Il a approché son camion, il s'est arrêté et est monté dans le bus. Trois par voyage, il a fait sept allers et retours plus un pour le dernier. Il a mis à peine deux minutes. Il est remonté dans le camion et a pris la bretelle qui le ramenait sur l'autoroute.

Opéra est revenu, il a refermé la portière avec le loquet. Il a sorti son couteau et a crevé un pneu, le car entier a tremblé. Il a couru vers sa bagnole et a foncé, direction sa maison. Pour lui, c'était fini.

J'ai remis mon casque et mes gants, je suis passé au ralenti devant le restaurant, j'ai vu la grande tablée derrière les vitres, personne n'avait rien remarqué. J'ai doublé Gallieni quelques kilomètres plus loin, il se tenait bien à cent trente. J'ai pris la sortie suivante et j'ai gagné le premier village. Je me suis posté dans un coin.

Il est arrivé peu après comme prévu, il a laissé le camion et s'est dirigé vers le bar. J'ai appelé Oberkampf, qui attendait deux rues derrière, je lui ai dit : « À toi », il est arrivé tout de suite. Il a garé son break, il est monté dans le fourgon et il a pris la route avec.

Gallieni est ressorti du bar, il a trouvé le break, il s'est mis au volant et est rentré chez lui. Fini pour lui aussi. J'ai filé.

Tout s'était déroulé à merveille, aucun faux pas, pas un écart. On allait se demander qui, pourquoi, comment, on allait faire des tas de schémas auxquels même mes trois soldats ne comprendraient rien. Le seul à pouvoir tout expliquer, c'était moi.

J'avais réservé une chambre dans le plus beau palace de Rotterdam. Cette fois, avec mon casque intégral, on ne risquait pas de m'avoir filmé aux frontières. J'avais pris pas mal d'avance sur le *timing*, ça m'avait permis de me doucher et d'enfiler des vêtements propres. Je m'étais fait apporter un grand café par le room service, je le buvais en guettant Oberkampf depuis ma fenêtre.

Vers minuit, il s'est rangé devant l'hôtel. Il a coupé le contact et éteint les feux puis a hélé un taxi pour se faire emmener à la gare. Le dernier train partait dans une heure, il serait chez lui à l'aube. Je suis descendu, la portière du camion était ouverte, j'ai démarré et je suis allé chez Mario. Il s'est étonné que je me promène sans arme quand ses gars m'ont palpé.

« Tu fais dans le subtil, maintenant ? »

Je me suis contenté de sourire. Il a voulu qu'on aille voir tout de suite.

« Le bal est ouvert », il a dit.

J'avais entendu parler des spéculations faites sur les instruments de musique. C'était à la radio. L'invité était un spécialiste, il avait expliqué deux ou trois choses. Les guitares, par exemple, dont certaines voyaient leur prix tripler d'une série à l'autre ou suivant l'endroit où elles étaient mises en vente. J'avais monté le son. La logique semblait proche de celle du marché de l'art. La rareté, la qualité des matériaux, la pureté du son, tout ça faisait de certaines pièces de véritables joyaux. Les jours suivants, je m'étais documenté et j'avais découvert une vraie mine d'or à ciel ouvert.

Je connaissais Stradivarius. Ce que je ne savais pas, c'est qu'il y avait d'autres luthiers, italiens pour la plupart, dont les violons valaient deux ou trois siècles plus tard des sommes astronomiques. Et ce que je découvrais, surtout, c'est qu'à partir d'un certain niveau, un violoniste avait toutes les chances d'être en possession d'une pièce dont la valeur dépassait parfois les cent mille euros. Les musiciens, en dehors du fait qu'ils contractaient tous une assurance, ne se séparaient jamais vraiment de leur instrument. En tournée par exemple, les violons ne voyageaient pas dans la soute mais là-haut, avec les effets personnels.

Alors quand à la télé on avait commencé à voir les images d'un nouveau spectacle musical qui sillonnerait bientôt la France en car avant l'apothéose parisienne, quand j'avais vu ces vingt-deux filles assises sur scène dans leur jolie robe noire, je m'étais dit qu'il était temps de me mettre au travail pour de bon. Quelques heures plus tard, je trouvai enfin la solution au problème sur lequel je butais depuis des mois.

Trouver les gars, ça n'avait pas été dur. Ça faisait plus de dix ans que je nageais en eaux troubles, je commençais à avoir un certain flair. Je repérais très vite ceux que les scrupules ou la peur n'empêchaient pas de dormir. Alors j'avais fouillé dans mes souvenirs et ouvert grand mes yeux.

Le premier à m'être revenu en tête avait été ce mec trapu, le regard fixe, que j'avais vu dans un pub près de Mâcon pendant mes mois d'errance. Numéro un. Oberkampf. J'avais croisé le deuxième près de La Rochelle. Garagiste, magouilleur multicartes mais discret, ferme, posé. Je l'ai appelé Gallieni. Et ça faisait quelques mois qu'Opéra m'apportait mon café en terrasse sur le port d'Honfleur. Serveur et accessoirement dealer, gigolo, pickpocket – un peu tout.

Afin de pouvoir les joindre, j'avais fait un saut en Espagne et acheté quatre téléphones portables, un pour chacun de nous. J'avais payé un an d'abonnement d'avance et en liquide. Les leurs ne pouvaient que recevoir, pas appeler. Et si l'un des téléphones se trouvait égaré lors d'une opération, ça mènerait la police vers la banlieue de Barcelone, dans un magasin minable où le patron, rongé par l'alcool, n'aurait aucun souvenir.

Se faire repérer à cause des portables était devenu tellement courant qu'il fallait prendre un maximum de précautions. N'allumer les appareils qu'au moment où j'appelais et les couper aussitôt mes instructions données. Et pour ça, il y avait dans toutes les librairies un outil élémentaire et passe-partout : les petites annonces de *Libération*. Donner à chacun de mes pions le nom d'une station de métro et les avertir que j'allais les joindre. « Station Opéra. Jeudi dernier, 18 h, vous jolie blonde en manteau noir ; moi, grand, chapeau. Aimerais vous revoir » et faire suivre d'un numéro bidon. Le jeudi suivant à dix-huit heures, Opéra allumait son téléphone pour écouter mes ordres.

Dans le cas où j'avais un objet à leur transmettre, je leur avais attribué un commerce différent à chacun. Il s'agirait de celui situé le plus près de l'église du bled cité dans l'annonce. « Métro Gallieni, dimanche 16 h, avons parlé de Lambersart. J'aimerais vous revoir. » Le dimanche suivant à seize heures, Gallieni se rendrait dans le bar-tabac face à l'abbatiale de Lambersart. Il dirait au patron qu'on y avait semble-t-il laissé un paquet pour lui. Ne pas s'attarder, ressortir aussitôt. Pour Oberkampf, c'était le salon de coiffure et le fleuriste pour Opéra.

Enfin, dans le cas d'un message collectif, il y avait la station République. Pour un « merci » ou un « bravo », par exemple.

Grâce à ce système, je pouvais joindre chacun de mes hommes sans craindre de me faire repérer, sans éveiller l'attention, sans qu'ils me voient, sans qu'ils aient aucune idée de l'endroit où je me trouvais et sans que la police puisse jamais remonter jusqu'à moi.

Je leur avais fait parvenir le portable de la même manière à tous les trois. Je les avais suivis en douce en prenant au passage une photo de chacun d'eux et j'avais repéré leur voiture. Le moment venu, j'avais ouvert la portière comme le petit voleur que j'avais été. J'avais posé l'appareil en évidence sur le siège passager après avoir effacé toutes les empreintes que j'avais pu laisser dessus. Et puis j'avais attendu, tapi tout près de là, que chacun s'installe au volant pour passer mon premier appel. Pour Gallieni, ça s'était fait sur le parking du supermarché où il était venu faire ses courses. Pour Opéra, j'étais de l'autre côté du bassin, derrière un groupe de touristes. Et pour Oberkampf, c'était le long de la Saône, après sa journée de pêche en solitaire. J'avais mis un mouchoir sur le micro, j'avais été bref et ferme. Je leur avais dit le but de mon appel, le codes des annonces et les termes du contrat. En prime, ils avaient tous les trois trouvé cinq mille euros dans la boîte à gants en guise d'avance.

Et pour parfaire le tout, pouvoir tout contrôler d'un bout à l'autre et m'assurer du sérieux de mes hommes, j'avais payé trois fouille-merde de détectives privés pour les surveiller jour et nuit pendant trois semaines à compter de mon appel. Je leur avais déposé à chacun une photo du soi-disant amant de ma femme et une enveloppe de billets dans la boîte aux lettres. Tout s'était fait par téléphone et en liquide. Vingt-cinq jours plus tard, j'avais trois rapports détaillés minute par minute, photos à l'appui, dans une boîte postale de la banlieue parisienne. Et je pouvais constater qu'aucun n'avait pris mon discours à la légère.

Aucun n'avait flambé les liasses dans des tournées générales, aucun n'était allé parler aux flics, aucun n'avait pris la fuite. Je leur avais à chacun donné une mission à remplir pour vérifier mon emprise. Oberkampf était bien resté assis trois heures devant le monument aux morts de Mâcon. Gallieni avait bien fait un aller-retour La Rochelle-Poitiers sans descendre de voiture. Et Opéra était bien allé boire une bière au dernier étage de la tour Montparnasse. Parce que cinq jours après mon appel, ils avaient bien tous acheté le journal.

Ça avait marché, mon équipe était prête. J'avais employé les grands moyens et mon système était infaillible. Je les avais appelés tous les jours à intervalles réguliers pour m'assurer que leurs portables étaient bien coupés. Mes marionnettes m'obéissaient au doigt et à l'œil. Non, même pas. Au son de ma voix. Il suffisait de bien choisir ses mots.

Septembre 2003

On avait disposé tous les violons par terre dans l'entrepôt de Mario. On avait ouvert les étuis, on était debout avec deux de ses gars en train de regarder l'ensemble.

« Tu es fou », il avait dit.

On en prit deux ou trois en main sans trop savoir quoi faire avec.

« Le problème, dit Mario, c'est qu'on n'y connaît rien. Il va falloir que je me renseigne un peu avant de te faire une offre. Ça va prendre quelques jours. Si tu veux, j'ai un travail pour toi en attendant. »

Je déclinai la proposition, ça sembla l'agacer. On retourna chez lui boire une vodka. Je lui dis que je resterais plusieurs jours, que j'avais tout mon temps. Je rentrai à mon hôtel et prévins le veilleur de nuit que je prolongeais mon séjour, ça ne posait aucun problème. Une fois dans ma chambre je pensai à Mario. Il ne m'avait posé aucune question mais j'avais senti que quelque chose le travaillait.

Dans les jours qui suivirent, je me baladai dans Rotterdam en réexaminant toutes les étapes qui avaient précédé le coup des violons. Je ne voyais toujours aucune faille. Il était impossible de remonter jusqu'à moi. Opéra n'avait été vu de personne et, au pire, son rôle s'était borné à crever le pneu d'un car après en avoir ouvert puis refermé la portière. Rien d'autre. Gallieni était entré dans un bus ouvert, avait chargé les violons dans une fourgonnette, avait roulé jusqu'à un village, et était allé boire un café. En ressortant, le fourgon avait disparu. Il était monté dans une voiture et était rentré chez lui. Et Oberkampf était arrivé dans un village, avait laissé son break au profit d'un petit camion qu'il avait garé devant un hôtel de Rotterdam sans savoir ce qu'il contenait. Pris séparément, aucun des trois n'avait rien fait de quoi mériter la prison.

Même pendant la préparation du coup, j'avais pris toutes les précautions possibles. Les portables espagnols, aucune empreinte, les petites annonces, j'avais tout mis sur pied sans que rien ne permette de retrouver ma trace. Pour me documenter sur la comédie musicale qui m'intéressait, j'avais brouillé les pistes au maximum. Le plan de route du bus, par exemple, qu'une groupie de seize ans avait diffusé sur son blog dans l'indifférence générale, le jour où j'étais tombé dessus, j'étais dans un café Internet à plus de deux cents kilomètres d'Étretat.

La moto, avec laquelle j'avais suivi tout le bon déroulement du plan, je l'avais achetée sans rencontrer le propriétaire, en espèces et avec des faux papiers, la veille du grand jour. J'avais passé les frontières avec ses plaques et mon casque, ses empreintes et mes gants. J'étais hors d'atteinte.

Ça avait nécessité quelques frais, des déplacements, de la patience et de la minutie mais le résultat était là. Dans quelques jours, Mario allait me donner un paquet de billets et j'allais rejoindre ma maison après une courte escale à Jersey.

V

Novembre 2004

J'ai envie de courir mais je ne peux plus marcher.
Au journal, ils ont parlé de l'hiver qui s'installe et
j'ai pris ça pour moi. Je n'ai pas faim. Ma jolie infirmière m'a fait un sourire. Je lui aurais bien parlé.
J'attends mon frère. Tout à l'heure, ma mère avait
les yeux rouges. J'ai pensé à tout ce qu'elle ignorait.
Elle serait fière, peut-être, ou admirative. Ça ne sert
à rien. Quand Mario m'a payé les violons, il m'a dit
que j'étais un solitaire, « la solitude des grands pré-
dateurs » il a sorti, il était bourré.

J'ai tutoyé les anges et je me pisse dessus. Je ne
pourrais même plus prendre un stylo pour rédiger une
petite annonce. Pour faire quoi, de toute façon ? Trouver l'âme sœur, voler la tour Eiffel ? Il est quatorze
heures, je suis à bout de forces. Je crois que dans
tout ça, le seul à avoir dit la vérité, c'est mon petit
chauffeur.

La petite frappe que j'avais été avait pris son envol. Après tous les coups plus ou moins réussis que j'avais pu faire, j'étais maintenant passé maître. Mario ne m'avait donné que deux cent mille euros pour les violons en me disant qu'il m'avait payé les sacs en croco trop cher, que ça compensait, peu m'importait. Ce qui me faisait courir, à présent, c'était la beauté du geste. Paul Serinen et l'amour de l'art.

J'étais toujours aussi méfiant mais, à mon retour à Étretat, j'avais ressenti une impression d'invulnérabilité, l'impunité totale. J'avais entamé une nouvelle carrière, celle d'éminence grise. J'étais une ombre, un mirage. Paul Serinen et l'omnipotence.

J'avais repris mon rythme, mon footing matinal, mes lectures, la cuisine, mes balades. Mon revolver n'était jamais trop loin mais je n'y avais pas touché depuis des lustres. J'étais retourné sur le port d'Honfleur, Opéra m'avait servi mon café sans me voir, je lui avais laissé la monnaie. Le vol des violons avait été couvert par les assurances mais il fallait recruter de nouvelles filles, recommencer les répétitions. Le producteur avait déclaré, livide, que c'était un gouffre financier. La groupie de seize ans avait lancé une pétition sur son blog pour contraindre les voleurs à restituer le butin, elle avait recueilli une dizaine de signatures. J'avais fait paraître une annonce dans *Libération* : « Station République, vous étiez parfaits, à bientôt », et glissé une enveloppe de dix mille euros dans les boîtes aux lettres de mes hommes. Les largesses de Paul Serinen.

La cerise sur le gâteau, ç'avait été l'attitude de Mario quand j'étais sorti de chez lui, les liasses dans les poches de ma veste. Dans son salon, il m'avait à plusieurs reprises regardé sans parler, parfois avec un petit sourire et parfois sans. Il m'avait raccompagné jusque sur le palier, c'était bien la première fois.

« Tu es calme, il m'avait dit. Comme si tu n'avais rien fait. »

Je n'avais rien répondu. Il s'était approché.

« Pourtant, c'est toi qui as l'argent. »

Il m'avait mis la main dans le dos en guise d'au revoir.

« Si tu es aussi calme, c'est que tu ne risques rien. Et je me demande comment tu peux en être aussi sûr. J'aimerais bien savoir comment tu as fait », avait-il conclu avant de refermer la porte.

J'étais parti prendre mon ferry direction Jersey en me disant que si même Mario ne voyait pas l'astuce, lui qui était pourtant le seul à pouvoir deviner, là c'était sûr, le monde entier m'appartenait.

Avril-août 2003

Le seul à m'avoir vraiment posé la question, c'était Oberkampf, sur les bords de la Saône. Il avait rangé sa canne à pêche dans le coffre après l'avoir repliée, il s'était mis au volant et le portable avait sonné avant qu'il ait eu le temps de démarrer. Il avait décroché d'une voix dure, pas vraiment décontenancé.

« Reste où tu es, j'avais dit. Et écoute-moi. »

J'étais garé pas très loin de lui, sur le parking de la base de loisirs. Il n'avait pas bronché, il était resté assis sans tourner la tête. La présence de ce téléphone dans sa voiture n'avait pas eu l'air de trop le surprendre. J'avais parlé lentement en détachant les syllabes, la station Oberkampf, les petites annonces, le salon de coiffure pour les objets ou documents, le portable qu'il fallait couper, l'enveloppe dans la boîte à gants. Là-dessus, je lui avais dit qu'il allait faire des choses pour moi et que je ne tolérerais pas le moindre écart.

Il y avait eu un petit silence. Et il m'avait demandé ce qui se passerait s'il n'acceptait pas ou s'il faisait le coup pour lui.

« Je te tue. »

J'avais laissé passer quelques secondes.

« Achète le journal dans cinq jours. Il sera question d'un projectionniste de Nantes dans les faits divers. Si tu me plantes, je te fais la même chose. Maintenant, Oberkampf, éteins ton téléphone. »

Et j'avais coupé.

Opéra et Gallieni, eux, avaient été beaucoup plus impressionnés. Ils avaient sursauté, trépigné, regardé dans toutes les directions, il avait fallu que je fasse preuve de fermeté. L'avertissement final avait achevé de les clouer sur leur siège.

Cinq jours plus tard, plusieurs quotidiens relataient l'assassinat d'un obscur projectionniste à la sortie du Méga CGR du centre Atlantis. Nantais de naissance, inconnu des services de police et trois balles dans la tête. Un témoin auditif, le directeur du cinéma, qui n'avait entendu que les détonations et le vrombissement d'un gros cube. L'arme avait été retrouvée peu après sur les bords de l'Erdre par un clochard – elle n'avait, semble-t-il, pas participé à d'autres méfaits par le passé. On se perdait en conjectures sur les raisons d'une telle violence, l'enquête s'annonçait délicate. La plupart des articles se terminaient en pointant du doigt l'inconscience et la barbarie de certains truands. Je découvris tout ça depuis mon salon. Je partageais complètement l'avis des journalistes.

VI

Décembre 2003

Je dévalais les pistes sur les traces de Paco. Pas un nuage et les sommets étincelants qui tranchaient sur le bleu du ciel, c'était magnifique. Pour bien démarrer l'année je m'étais offert trois semaines au ski. La comédie musicale avait repris depuis peu, sous haute surveillance, cette fois. J'avais décidé d'aller fêter ça en altitude. J'avais délaissé mon cocon d'Étretat pour une sortie dans le grand monde, Courchevel, l'antichambre de la Banque de France. Paul Serinen aux sports d'hiver.

Pour me fondre dans la masse, j'avais loué une Porsche gris polaire immatriculée 75 et pris une suite à l'Annapurna sous un faux nom. Par pure précaution seulement – je n'avais pour l'heure pas le moindre projet. Et j'avais engagé à mon compte un des moniteurs du palace pour parfaire mon style et me servir de guide. Grâce à lui, j'avais pu, en quelques jours, être reçu comme un ami dans plusieurs établissements de luxe où mes billets mauves avaient achevé de me rendre tout à fait respectable. Du moins avait-on bien fait semblant de le croire. Le soir, on terminait par un cocktail au bar de L'Antidote, la discothèque la plus huppée de la station. Ça s'enchaînait à la coke et au

44

champagne dans tous les coins, les pompes Armani vissées dans une moquette épaisse comme un chat persan.

Nous dégustions des huîtres sur la terrasse du Cap Horn, quand je l'ai vue la première fois. Elle était installée un peu plus loin, en couple. Paco s'était levé pour aller les saluer, elle lui avait fait la bise. Il avait dû parler de moi au passage, elle avait tourné la tête, nos regards s'étaient croisés. En les regardant partir, j'avais trouvé qu'elle avait une belle aisance, une grâce naturelle.

Quand je la croisai le soir même dans sa robe noire à L'Antidote, je savais déjà qu'elle s'appelait Mathilde, qu'elle était là pour un mois en compagnie de son frère, qu'elle venait d'Anvers, et que son nom de famille rimait depuis trois générations avec le commerce des pierres précieuses. Paco m'avait même montré leur pied-à-terre, un immense chalet avec piscine qui dominait tout Courchevel. Je savais déjà, surtout, qu'elle avait une classe et un sourire qui m'avaient ébloui.

Depuis le début de ma retraite à Étretat, j'avais lu beaucoup de livres sur la peinture, je commençais à être assez cultivé sur le sujet. J'avais dit à Paco que j'étais marchand de tableaux et c'est comme tel qu'il me présenta. Pour ne pas trop m'étendre et jouer la modestie, je précisai que j'étais surtout en vacances. Je commandai une bouteille de champagne et nous nous installâmes tous les quatre. Je les invitai à se joindre à nous le lendemain sur les pistes.

Mathilde skiait à merveille. Son frère était resté au chalet pour travailler. Il nous rejoignit le soir au restaurant, j'aimais bien ce gars. Dans les trente-cinq ans, dégarni, pas très grand. Et l'air calme, posé, intelligent. Il avait de la classe, lui aussi. Il n'était pas venu ici pour profiter de la neige mais pour travailler à l'air pur.

« Je reviendrai en mars, dit-il à Paco, quand tout

sera fini. D'ailleurs j'aimerais bien qu'on fasse une dépose en hélicoptère, tu pourras organiser ça ? »

Et se tournant vers moi, il avait ajouté que je serais le bienvenu si j'étais encore là. En mars suivant – j'y avais repensé. Je m'étais dit qu'il avait sans doute un peu modifié son planning entre-temps.

On avait fini à L'Antidote. Au milieu de la nuit, vers la troisième bouteille, j'avais eu l'impression qu'en retour, ma belle tête de beau voyou ne laissait pas Mathilde indifférente. J'obtins confirmation vingt-quatre heures plus tard dans ma suite. Et je découvris au passage que Mathilde n'était pas n'importe qui non plus quand elle baisait.

Ça dura une dizaine de jours, entre les canapés moelleux, les pistes immaculées, les bulles et le Kâmasûtra sous tous les angles. Jusqu'au soir où la neige se mit à tomber et où Thomas m'annonça qu'il rentrait le lendemain sur Anvers, avant de s'envoler vers l'Afrique du Sud pour des raisons profession-nelles. Le même soir où Mathilde, après un petit rail et quelques gins, m'en dit un peu trop sur les façons de faire du clan Verpraat, amateurs d'art, de chevaux de courses, et diamantaires.

Une piscine à vingt-neuf qui donnait sur les cimes. Il neigeait depuis la veille. Thomas était venu me dire au revoir, je lui avais tendu ma main mouillée en lui souhaitant bon voyage, il m'avait dit en rigolant de prendre bien soin de sa sœur et était parti. En sortant de L'Antidote, ils m'avaient invité à passer la nuit au chalet, un château en bois planté dans la neige et pro-tégé par un système d'alarme digne de la Nasa. Ils m'avaient montré un tableau de Manet exposé dans le salon, j'avais joué l'expert et exprimé mon admira-tion. Thomas était allé se coucher et Mathilde et moi avions discuté dans les canapés devant une bouteille de Bombay Sapphire. Et puis elle avait sorti un petit sachet de coke en me disant que ça faisait bien longtemps qu'elle n'en avait pas repris.

J'avais déjà fait quelques longueurs quand elle me rejoignit. Elle plongea sans faire un seul remous, dans son beau maillot deux pièces. Nous nageâmes ensemble, elle beaucoup mieux que moi, et nous fîmes une pause devant la baie vitrée sans sortir de l'eau chaude. Je pris les devants en déclarant que j'avais mal partout et que je n'avais gardé que de vagues images de notre fin de soirée de la veille. Elle eut l'air gêné et me dit qu'elle était à peu près dans le même cas.

« Je suis vraiment désolée, me dit-elle, j'ai horreur de ça. J'ai dû te raconter n'importe quoi, non ? »

Je sortis du bassin, sûr qu'elle avait au contraire un souvenir très précis de ce qu'elle m'avait confié.

« Je ne sais plus, lâchai-je sur un ton d'excuse. J'arrête de boire. »

Ce sur quoi, je fis un plat retentissant, histoire de me démystifier pour de bon, ça la fit beaucoup rire.

Après plusieurs gins, je m'étais relevé pour me planter devant le Manet. J'avais ajouté quelques commentaires, Mathilde m'écoutait en préparant un deuxième rail sur la table basse. J'étais revenu m'asseoir en lui confiant qu'au final, ce que je préférais dans mon activité de négociant, c'était le convoyage des toiles. J'avais ajouté que le transport des tableaux devait se faire le plus discrètement possible et, surtout, sans escorte. Une présence policière ou un fourgon blindé indiquaient fatalement la présence d'objets rares ou d'argent. Une simple voiture, conduite par un seul homme, n'attirait l'attention de personne. Et je lui avais précisé que dans ces moments-là, seul au volant, j'avais parfois des poussées d'adrénaline qui valaient tous les sports extrêmes.

« Ma plus forte émotion, j'avais dit, c'était avec un Renoir, il y a cinq ou six ans. Je l'avais vendu à un industriel lyonnais et j'avais pris la mauvaise sortie sur le périphérique. Je m'étais retrouvé à demander mon chemin à deux zonards dans la nuit tombante. Avec, dans le coffre, une toile à six millions d'euros ! »

Elle avait inspiré d'un coup son trait de cocaïne en me disant qu'elle voyait très bien ce dont je parlais, mais que pour elle, au contraire, c'était un réel supplice. Je la trouvais vraiment belle.

« J'ai convoyé quelques fois des pierres précieuses, la sacoche blindée menottée au poignet, mais je n'aime pas ça du tout, j'ai l'impression que tout le monde voit clair. Maintenant, c'est Thomas qui s'en charge. »

Nous avions repris un gin en continuant à dériver et nous avions fini par baiser, là, dans le salon. Thomas dormait et, dehors, la neige tombait à gros flocons.

Je traversai le bassin en apnée. Arrivé à l'autre extrémité, toutes les étapes du coup étaient gravées dans mon cerveau.

« Pour te dire, criai-je en ressortant la tête de l'eau, je ne sais même plus si on a fait l'amour ! »

La semaine prit fin sans excès. Paco nous emmena faire une grande descente hors-piste sur la poudre encore vierge. Je payai ma note à l'Annapurna et bouclai ma valise. J'allai embrasser Mathilde une dernière fois en lui disant « À très bientôt ».

En roulant vers Paris, dans ma Porsche gris polaire, je pensais à la carte mémoire de son appareil photo que j'avais pris soin de subtiliser avant de partir. Elle n'aurait pas d'image de moi et, moi, j'aurais des photos de nous.

J'ai tout préparé en quelques jours, un plan d'Anvers étalé sous ma lampe de bureau. Je n'avais presque rien trouvé à propos de Verpraat sur Internet. Un portrait de lui avec ses cheveux blancs aux côtés d'un jockey lors du prix de l'Arc de Triomphe. Et seulement deux lignes sur les pierres précieuses, qui ne m'apportaient aucune information. Les secrets étaient bien gardés. Aussitôt rentré, j'avais fait paraître une petite annonce à destination de mes employés afin de m'assurer qu'ils répondaient toujours présent. Je leur avais dit de se tenir prêts. J'avais fait un grand schéma, la mise au point de mon coup d'éclat. J'avais là encore besoin de trois hommes seulement. Le premier, pour froisser de la taule au milieu de ses vacances, le second, pour conduire vite sans relever sa visière, et le troisième, pour faire le standardiste et le porteur de bagages. Je m'étais relevé plusieurs fois la nuit pour vérifier que tout était au point. Le discours de Mathilde tournait en boucle dans ma tête, j'avais la réponse à chacune des questions. Je retournais me coucher en pensant à elle.

Trois semaines plus tard, Verpraat emmenait sa berline au garage, Thomas faisait du stop sans rien comprendre et, moi, j'entrais dans les annales sans que personne ne l'apprenne.

VII

Février 2004

L'anonymat, la discrétion. Toute la précaution du clan Verpraat était là. Thomas voyageait sur des lignes régulières, sans escorte, au milieu des touristes et des hommes d'affaires. Il partait seul à l'autre bout du monde, achetait des pierres et les ramenait lui-même à Anvers. On l'accompagnait à l'aéroport, il prenait son avion et, à son retour, son père, le chauffeur et un garde du corps l'attendaient. Une fois dans les bureaux bien gardés, on enlevait la petite sacoche menottée à son poignet depuis Pretoria et l'on examinait les joyaux. Tout se déroulait sans que personne ne soit au courant de rien d'avance, le chauffeur et le garde du corps eux-mêmes ne découvraient leur emploi du temps que d'heure en heure. Mathilde coordonnait le tout, gérant les plannings dans le secret le plus total. À moins qu'un gramme de cocaïne ne traînât dans les parages.

Pendant le vol, la présence des passagers et du personnel de la compagnie rendait impossible la moindre opération. Une fois sur le sol d'Anvers, Thomas était de nouveau entouré. Le seul moment où il était accessible, c'était à la descente d'avion, les instants qui précédaient les retrouvailles avec son père.

Ces instants pendant lesquels, parmi tous les voyageurs, Gallieni lui donne un téléphone portable avant de s'éclipser. Quelques minutes auparavant, Oberkampf a eu pour mission de jouer le touriste égaré dans les rues d'Anvers au volant d'une voiture de location. Il a perdu le sens de la circulation et percuté la berline de Verpraat sur une artère, avant de se confondre en excuses et de remplir un constat au milieu des klaxons. De quoi les retarder pour un quart d'heure au moins.

Thomas se retourne pour tenter de voir qui est ce type avec sa casquette et ses verres fumés qui lui a tendu l'appareil en lui disant « C'est pour vous », mais il a déjà disparu. Alors il le porte à son oreille d'une main fébrile pour écouter ce que j'ai à lui dire.

Je suis derrière un des nombreux pylônes du hall F, un mouchoir sur le micro, je lui dis que je l'ai en ligne de mire et qu'il doit se plier à mes exigences. Il se tourne en tous sens mais se reprend très vite, me demande ce que j'attends de lui. Je veux qu'il sorte dans le calme et sans aucun geste d'alerte. Il n'oppose aucune résistance, forcément. Je le suis de loin, une foule de quidams entre nous. Une fois dehors, je lui dis de se diriger vers les taxis, où Opéra l'attend sur une moto munie de fausses plaques. Thomas grimpe à l'arrière et Opéra démarre en trombe. Après une heure à fond de train, Opéra s'arrête en rase campagne, fait descendre Thomas, et le laisse là en plan, sans rien lui dire, incrédule au milieu des champs, sa menotte au poignet.

Gallieni est allé récupérer la valise de Thomas sur le tapis roulant, a marché jusqu'au parking souterrain et trouvé la voiture que je lui ai indiquée. Il met le bagage dans le coffre resté ouvert et repart. J'ai assisté à la scène, de loin, je le regarde s'éloigner et monte à bord du véhicule. J'ouvre la valise, retire le GPS qui s'y trouve, le colle sous l'aile de la voiture voisine et démarre dans le calme.

L'anonymat, la discrétion. La subtilité du clan Verpraat. La discrétion qui veut que le convoyeur voyage seul. Sans protection, pour ne pas attirer les regards. La sécurité qui veut que Thomas se promène avec une petite sacoche blindée attachée à la main en feignant de la dissimuler. La roublardise et la ruse. Simuler l'anonymat, le silence, le risque. S'exposer à tous les regards. Et toute l'astuce : faire voyager les pierres en bas, dans la soute, au milieu des bagages. Parmi les souvenirs de vacances et les tubes de crème solaire.

Je rentrai à Étretat dans la soirée. Je n'ouvris pas la valise tout de suite. Je commençai par me servir un verre, comme après une journée de travail. Je mis un disque, j'allumai une cigarette, allongé dans le canapé. Paul Serinen se délasse.

Comme sur des roulettes. Zéro défaut. Je repensais à Thomas qui avait obéi bien sagement en pensant protéger le butin et qui n'avait rien dû comprendre quand Opéra l'avait largué dans la nature. Je regardais sa valise, posée près de l'entrée. Je me fis à manger. Aux infos, on ne parlait pas de moi. Il en fut de même par la suite, pas un journaliste n'ébruita jamais l'affaire. Verpraat avait tenu à ce que le grand public ne soit pas mis au courant de ce qui venait de lui arriver, mais ça, je ne le savais pas encore.

Vers minuit je déverrouillai la valise et déballai les affaires. Des chemises bien repassées, des caleçons de marque et une trousse de toilette, un livre et un caillou, un caillou incroyable, énorme et informe, rose pâle, gros comme deux poings. Je le tenais dans mes mains, je n'en revenais pas, j'étais fasciné. Je n'avais jamais rien vu d'aussi gros et limpide à la fois. Mathilde ne m'avait pas tout dit, je l'appris de la bouche de Mario quelques jours plus tard : je venais de voler le Magnolia, le plus gros diamant du monde jamais découvert.

VIII

Février 2004

Je le gardai avec moi plusieurs jours sans mettre le nez dehors, l'oreille tendue au moindre bruit. Il était là, sur la table basse, je le regardais en buvant un café. Je traquais la moindre information sur Internet mais rien ne semblait avoir filtré. Je n'avais aucune idée de la valeur d'une telle pierre. Je me disais que Mario n'en saurait sans doute pas davantage. Je savourais ma réussite.

Je ne sortis que le sixième jour pour aller me renseigner auprès de lui. Par méfiance, je ne le pris pas avec moi. J'arrivai à Rotterdam au crépuscule et attendis le noir total pour me rendre à son appartement. Un des deux types qui gardaient sa porte alla le prévenir tandis que l'autre me fixait en silence. Mario congédia les deux putes qui s'occupaient de son cas, elles sortirent en finissant de se rhabiller. Il me fit entrer. Il était bourré, à moitié à poil, un sac de coke gisait sur la table, il servit deux grands verres de vodka pendant que ses gars me palpaient. Constatant de nouveau que j'étais sans arme, ils nous laissèrent seuls.

« Tu viens me jouer un air de violon », rigola-t-il en me tendant le verre.

Nous bûmes. Vu son état, je choisis aussitôt de feindre une visite de courtoisie. Il fit semblant de me croire. Nous bûmes la bouteille en nous remémorant tous les coups plus ou moins fumeux que nous avions pu faire ensemble en une dizaine d'années.

« Tu as changé, me dit-il. Tu es calme, maintenant. Tu réfléchis. »

Il ouvrit une deuxième bouteille en me faisant encore quelques compliments, parfois il s'arrêtait de parler et plantait ses yeux dans les miens avant d'éclater de rire. Le jour allait bientôt se lever. Tout à coup, l'air de rien, il me parla de Verpraat. Je dis que je n'en avais jamais entendu parler, il roulait les « r » en répétant « diamantaire », « diamantaire ! », puis il passa à autre chose. Nous nous séparâmes au petit matin, il était ivre mort et j'étais loin d'être frais, le ciel était orange derrière sa baie vitrée. Il tapa sur sa table en rigolant, il me regarda, sa tête vacillait.

« Alors, me dit-il, dis-moi. Tu es serein, tu n'as pas d'arme, tu es innocent. Pourquoi ? Les violons, c'était toi et pourtant, c'est pas toi. Comment tu peux être sûr d'être intouchable ? Les gars te connaissent pas ? »

Il s'affala dans le canapé en reprenant son souffle.

« Pourquoi ils bossent pour toi, alors ? C'est quoi, la technique ? » et il répéta « technique » plusieurs fois – « technique », « technique », les yeux dans le vague.

Le soleil nous éblouissait, je me levai pour partir et il me raccompagna. Je fus surpris par sa démarche, franche et précise, encore en forme après six heures de vodka. Sur le palier, il me donna l'accolade, il me tint fermement contre lui et approcha sa bouche de mon oreille.

« Tu connais vraiment pas Verpraat ? » murmurat-il.

Il ne me laissa pas le temps de répondre, il continua sans bafouiller.

« Verpraat est le plus gros diamantaire de la planète. Toutes les pierres les plus précieuses passent un
jour entre ses mains. »

J'écoutai sans rien dire.

« Et s'attaquer à Verpraat, c'est du suicide. Il gagne
toujours. La semaine dernière, il s'est fait voler une
pierre. Le Magnolia. Le plus gros diamant du monde. »

Je reculai sans le quitter du regard.

« Les receleurs, les tailleurs, les bijoutiers, tous ceux
qui ont une chance d'approcher la pierre, on a tous
été prévenus dès le lendemain : quel que soit le prix
demandé, Verpraat offre le double et veut la tête du
voleur. »

Il conclut, les yeux plantés dans les miens :

« Il n'y a aucune solution. Le diamant est infour-
gable. »

Puis, avec un petit sourire :

« Mais si tu ne connais pas Verpraat, c'est que ça
n'est pas toi. »

Et avant de refermer la porte :

« Tu me diras comment tu as fait pour les violons. »

J'acquiesçai, livide.

« Par amitié », finit-il.

Avril-août 2003

La question m'avait empêché de dormir pendant
des semaines. J'avais posé le problème dans tous les
sens, examiné la situation sous tous les angles. L'idée
de recruter des inconnus m'était venue assez vite, les
portables espagnols et les petites annonces, j'avais mis
au point tout ça rapidement. Mais comment asseoir

mon autorité, j'avais buté là-dessus des mois durant. La seule façon de rendre mes hommes complètement serviles était de me faire craindre, de les menacer. Mais, surtout, de fournir les preuves de ce que j'avancerais – l'enjeu était trop important pour miser sur le bluff. Et c'était là tout le problème. Parce que ma volonté, justement, était de ne me rendre coupable de rien. Hors de question de tirer le moindre coup de feu. L'unique solution était de les faire tirer par quelqu'un d'autre. Sans qu'il existe aucun lien entre ce quelqu'un d'autre et moi. Ce qu'il fallait, c'était être au courant d'un meurtre avant qu'il soit commis. Et dire au téléphone que j'en serais l'auteur ou le commanditaire. La pièce manquante était là.

Il était très tard et j'avais sursauté, j'avais filé dans le bureau. Je devais avoir connaissance d'un prochain règlement de comptes et mettre en garde mes marionnettes, les avertissant qu'au moindre écart je leur réserverais le même sort. Le schéma était bouclé, la mécanique était prête.

Le tout était de connaître la date et l'endroit d'un crime à venir.

J'avais fait un saut à Jersey pour retirer des espèces et étais monté à Rotterdam. J'avais pris une chambre dans un petit hôtel et fait savoir à Mario que je souhaitais qu'il m'y retrouve. Il était venu le lendemain en début de soirée. Mario connaissait la pègre internationale et pas une semaine ne s'écoulait sans qu'une de ses relations ne fasse abattre quelqu'un. On s'était assis sur le lit, dos à la fenêtre, je lui avais expliqué ce qui m'amenait. Il s'était étonné mais n'avait pas posé de questions.

« C'est bizarre ce que tu me demandes », avait-il dit.

Il s'était passé la main sur les cheveux. Il me fallait un meurtre froid, brutal, de préférence inexplicable, un fait divers violent que la presse ne manquerait pas de relayer. Il réfléchissait.

« Je vais me renseigner. Je reviens te voir ici après-demain. »

Avant de partir, il avait ajouté qu'il me vendrait le tuyau quinze mille euros.

Quarante-huit heures plus tard, j'apprenais l'existence d'un projectionniste nantais qui n'avait plus que quelques jours à vivre. Une histoire de drogue ou de cartes grises, je ne sais plus.

« C'est bizarre, ce que tu m'as demandé, m'avait-il répété en glissant les liasses dans ses poches. Vraiment bizarre. »

Deux mois plus tard, il me payait les violons en me regardant d'un drôle d'air, toujours intrigué. En novembre suivant, je me rendais compte, sur son palier, qu'il avait compris que j'étais derrière le coup du Magnolia. Et qu'il venait de renoncer à la fortune de Verpraat juste pour savoir comment je m'y étais pris.

« Par amitié », il m'avait dit.

Dans un sens, je pouvais être fier de moi. Mais pour l'heure, en me retournant dans mes draps sans parvenir à trouver le sommeil, j'étais surtout paralysé par ce que je venais d'apprendre.

Février 2004

Je suis retourné le voir le lendemain, je ne suis pas resté longtemps. Je lui ai tout raconté, même les surnoms du métro parisien. Il m'a écouté en silence, les yeux plissés, un vague sourire passait de temps à autre sur son visage. Parfois, il hochait la tête ou la penchait en arrière en soupirant. Je lui ai décrit le coup des violons dans les moindres détails, il a trouvé l'astuce imparable. J'ai occulté la suite. Il n'était pas dupe mais on s'est compris. Une fois mon exposé terminé, j'ai eu l'impression d'avoir trahi mon secret mais je n'avais pas eu le choix. En me confiant l'info sur Verpraat, Mario m'avait sauvé la vie.

Depuis le fait divers nantais, je m'étais demandé plusieurs fois s'il s'agissait d'un réel règlement de comptes ou si Mario n'avait pas simplement fait abattre un citoyen modèle juste pour me vendre le renseignement. J'ai failli lui poser la question mais je suis parti sans rien dire. Je n'ai jamais su.

Je suis rentré à Étretat dans un état second, comme un somnambule. Le soir je n'ai rien mangé. Je suis resté planté devant le fabuleux diamant. Condamné à le garder avec moi jusqu'à la fin de mes jours, dans l'anonymat le plus total. L'absurdité de la situation me submergeait. Je n'enrageais pas encore. J'étais juste sonné.

IX

Novembre 2004

Mon frère est venu hier, il a été libéré mardi. Il vient de faire six mois pour une minable arnaque à la carte bleue. Il s'est même fait un tatouage sur l'avant-bras, une espèce de poignard bleuté. Il fait le dur mais pas avec moi, il est plus jeune. Je l'impressionne parce que je l'intrigue. Lui non plus ne me connaît pas. Il a eu les larmes aux yeux quand il est entré dans ma chambre, quand il m'a vu comme ça. Mais c'est mon frère, il m'écoute, il m'a toujours obéi. Je n'avais pas très envie de parler et lui ne savait pas quoi dire, alors on a fait vite. Je voyais la petite lumière rouge sur la caméra là-haut, dans l'angle de la pièce, on ne loupait rien de nos moindres gestes. Il a voulu s'asseoir mais je lui ai dit de s'approcher, il était maladroit. Je lui ai parlé à l'oreille. Je lui ai dit d'appeler Verpraat et de lui dire que ce qu'il cherchait était sous ma véranda.

« Ne fais rien d'autre, j'ai soufflé. Un coup de fil, c'est tout. Donne-lui l'adresse de ma maison. »

Il voulait comprendre mais je ne lui ai rien dit de plus. Je lui ai fait répéter ce que j'attendais de lui, c'était simple, il avait retenu. Je lui ai dit qu'il fallait s'en tenir à ça et il a acquiescé. Puis je lui ai demandé de me laisser me reposer. Il a remis son blouson, je l'ai rappelé avant qu'il parte.

« Dis-lui aussi que j'embrasse Mathilde. Si elle accepte. »

La douleur m'a envahi, j'ai sonné et une infirmière est venue me piquer.

Mars-mai 2004

J'étais resté cloîtré une semaine. Je maudissais Verpraat. J'avais bien songé à briser le Magnolia et à le fourguer par petits morceaux, mais j'avais balayé l'idée très vite. Je n'avais pas volé un diamant pareil pour qu'il finisse éparpillé sur des bagues de supermarché. J'étais allé courir sur la digue, il pleuvait, je n'avais croisé personne. À mon retour, il avait fallu que je me rende à l'évidence : soit je l'envoyais par la poste à Anvers avec un mot d'excuses, soit je le jetais du haut de la falaise. Ou bien je l'enterrais.

Je le gardais avec moi, scintillant six pieds sous terre, tout à moi jusqu'à la fin de mes jours. Je regardai le côté de la maison. J'imaginai une pièce de plus, une grande ouverture dans le mur de pierre, des baies vitrées, une véranda, là, donnant sur la clairière. J'étais trempé et je souris tout seul. Un bel aquarium, un jardin d'hiver à la vue des promeneurs, deux ou trois plantes, un canapé, un joli carrelage. De la musique, un café chaud. Et sous mes pieds, le plus gros diamant du monde.

Je trouvai une entreprise de Belfort et je fis faire les travaux au noir. Brouiller les pistes, mettre de la distance. Ils vinrent à deux, le père et le fils, une caravane accrochée au camion, mes billets mauves répondirent à toutes leurs questions. Le deuxième jour, le voisin s'approcha et s'intéressa au chantier mais on l'ignora, il rebroussa chemin. Ils travaillaient vite et bien, sans parler, quatorze heures par jour. J'avais acheté une petite boîte en métal et un foulard en soie, l'ultime écrin du Magnolia.

Pour célébrer son enfouissement, un soir, je me servis un whisky. Je regardai les photos de Mathilde et moi, et le diamant. Je repensai à ce que m'avait dit Mario, à Verpraat, au piège tendu, à sa fille, je passai du sourire à la rancœur, à la nostalgie, à la haine aussi, finis par boire la bouteille entière en remuant mes souvenirs et mes rêves de grandeur, le sourire de Mathilde et ce contrat sur moi. Au petit matin, je fourrai le tout dans la boîte en fer et titubai jusqu'à la cafetière en tentant de me ressaisir. Je me passai la tête sous l'eau et mes deux artisans arrivèrent sur mes pas, la journée commençait. Je leur donnai la caissette pour qu'ils coulent la chape dessus, ils me demandèrent si tout allait bien, ils avaient failli se relever la nuit en entendant le raffut. J'assistai à l'enterrement assis sur une chaise, les yeux mi-clos.

Quatre jours plus tard, le fils posait les dernières ardoises pendant que le père vérifiait le contenu de l'enveloppe. Le soir même, je fumais ma première cigarette dans ma véranda toute neuve.

Je passai plusieurs semaines sans rien faire. Je me levais tard. Parfois, je n'allais même pas courir. Je lisais beaucoup, je passais du temps à faire la cuisine ou la sieste, je regardais la télé sans m'y intéresser, sans m'ennuyer non plus. J'avais déposé une enveloppe dans les boîtes aux lettres de mes hommes malgré l'absence de revenus, et mes finances baissaient. Il me faudrait d'ici quelques mois mettre un nouveau coup sur pied. Mais après le Magnolia, rien de ce que je pouvais envisager ne me séduisait vraiment. Tout me semblait plat, tiède ou sans saveur. Je faisais le marché d'Étretat en songeant à cette villa sur les hauteurs de Cabourg et au Giacometti qu'elle abritait, mais une sculpture pareille ne se revendrait pas sans faire de vagues. Alors je buvais un verre au bar du Normandy, à Deauville, en me disant que les chambres du palace recèleraient des bijoux, des espèces. Je marchais dans les rues du XVIe sans parvenir à me décider. Il allait me falloir des sous mais je tenais à mon rang. Mon premier coup, c'était la caisse d'une auto-école. J'avais dix-huit ans. Depuis, j'avais volé de plus en plus haut, et les perspectives, quoique multiples, me paraissaient toutes un peu fades.

Par ailleurs, j'avais commis quelques erreurs, et de taille. D'abord, ils étaient trois à pouvoir me reconnaître. Mathilde, Thomas et Paco, mon moniteur de ski. Je n'avais laissé aucune empreinte à l'hôtel, ni dans leur chalet, ni dans la Porsche que j'avais louée. Mais mon visage, je n'avais pas pu le dissimuler. Ils auraient vite fait le lien entre le vol et moi et, malgré le silence que Verpraat semblait vouloir imposer, mon signalement avait sans doute été transmis à quelques discrets enquêteurs.

Et puis il y avait Mario. À qui j'avais livré le secret de mon art. Et Mario ne faisait rien gratuitement. Tout ce qu'il disait, voyait, entendait, tout pouvait tôt ou tard se monnayer. Je ne savais pas de quel côté cela pouvait venir mais j'étais certain que Mario pourrait un jour décider de tirer profit de tout ce que j'avais pu lui raconter.

Pour l'heure, j'étais à Étretat. Un collectionneur d'armes du bassin d'Arcachon devait astiquer ses plus belles pièces sans se douter que j'allais, dans quelques jours, faire main basse sur tout son arsenal. Ober-kampf, Opéra et Gallieni savaient exactement ce qu'ils avaient à faire. J'avais même fait passer à Gallieni, via le bar-tabac le plus proche de l'église de Brionne, un verre et un mégot dérobés sur un comptoir de Brest. Il laisserait ça dans la cuisine de la villa et, si le gars était fiché, les expertises ADN promèneraient la police au pays du kouign-amann. Le soleil chauffait la véranda. Je dégustais mon premier foie gras fait maison. Délicieux. Paul Serinen et la délectation.

X

Mai 2004

Je m'étais levé tôt, j'avais bien dix heures de route jusqu'à Gujan-Mestras. Le coup se ferait à la nuit tombante, pendant la promenade sur les dunes en compagnie des deux dobermans. J'assisterais à tout de loin à travers mes jumelles et, si tout allait bien, je serais à Jersey dans deux jours et renfloué pour plusieurs mois.

Je sortis de la maison et fermai derrière moi, la casquette vissée sur le crâne. C'était l'aube, il n'y avait pas un bruit. Je remis la clé dans la poche de mon jean et il y eut un fracas effroyable, des projecteurs surpuissants m'éblouirent, il y eut des cris, on me hurla de mettre les mains en l'air et de relever la tête, je vis des ombres courir dans tous les sens. Je restai cloué sur le pas de ma porte en pleine lumière, aveuglé, le silence et, de nouveau, un ordre, celui de me mettre à genoux. On me passa des menottes et on me fouilla brutalement. On prit mes clés et, tandis qu'on me poussait dans un fourgon, une deuxième équipe pénétrait chez moi pour inspecter la maison de fond en comble. On alluma la sirène pour m'emmener à la PJ de Rouen. Au moment où on démarra, je vis le couple de vieux, mes voisins, à leur fenêtre, qui n'avaient rien loupé de la scène. Le bleu, blanc, rouge du gyrophare clignotait sur leur façade.

En arrivant au commissariat, je n'avais plus aucune idée de ce qu'on me voulait. Tout s'était mélangé pendant le trajet – Mario, qui connaissait les détails de l'histoire, Opéra, Gallieni et Oberkampf qui en ignoraient tout, Mathilde, mes voisins, qui m'épiaient, Verpraat, qui paierait pour ma tête, je ne savais pas. On m'emmena au quatrième, un bureau tout gris éclairé au néon et deux inspecteurs, la panoplie complète, bras de chemise et holster. Ils me firent asseoir, menotté dans le dos. Un des deux flics, le plus costaud, sortit une pochette d'un classeur métallique. Ma fiche. Paul Serinen, condamné neuf ans plus tôt pour vol de voiture. Depuis, plus rien.

« Tu as une chouette baraque », me dit l'autre.

Il me regardait sans bouger depuis le début avec sa tête de fouine, adossé au mur.

« Avec la véranda, c'est chouette. »

La caricature. Le duo de flics qui se met en scène. L'un qui allait me la jouer tout en force et en preuves implacables, l'autre qui allait faire le vicieux, qui allait caser le mot « chouette » dans toutes ses phrases en espérant m'exaspérer.

Le balèze continua l'inventaire de mon dossier. Il sortit une photo de ma maison et la montra à son collègue, qui la prit en main.

« Vraiment chouette, dit-il. Regarde, chouette photo, hein ? »

Il me la montra, je jetai un œil dessus et pris peur. Vu la floraison des arbres, la photo avait été prise au printemps précédent. Avant les violons, avant le Magnolia. Je n'avais rien vu. J'étais pisté depuis des mois.

Le balèze ouvrit une armoire et marcha vers moi, un sac en croco dans les mains. Il le posa à mes pieds.

« Ça te dit quelque chose ?

— Chouette sac », sourit l'autre.

Face à mon silence, il repartit vers sa pochette et en sortit un portrait-robot, ma tête sur une feuille blanche. Il me le colla sous le nez en s'énervant.

« Et ça ? Tu te reconnais, là ? »

Le vicieux s'approcha, les mains dans les poches.

« On sait tout, dit-il. Tout. On a deux témoins, ils t'ont reconnu sur les photos. Le premier, c'est celui avec qui tu as mangé une nuit, dans une station-service près de Limoges. Et le deuxième, tu l'as tenu ligoté jusqu'à Rotterdam. Tu vois, on connaît toute l'histoire. »

Je le regardai sans être certain d'avoir tout compris.

« Tu n'auras qu'à signer. C'est chouette, non ? »

Ça dura quarante-huit heures. C'était vrai, ils savaient tout. Les voitures volées sur Paris, les allées et venues vers la Manche, Reims, mon flingue entre les yeux du chauffeur, Rotterdam, ils savaient tout sur les sacs en croco. Mais rien sur la suite. Ils pensaient même, sans trop y croire, que depuis, je n'avais pas fait grand-chose de mal. J'étais allé dans ce sens, j'avais joué le repenti. Ils n'étaient pas convaincus mais ils n'avaient aucune preuve.

« On t'a retrouvé sur une coïncidence, d'ailleurs. C'est chouette, le hasard. »

J'étais lessivé. Ils s'étaient relayés pour me tenir éveillé en espérant découvrir autre chose mais j'étais resté muet sur le reste. Au terme des deux jours, on conduisit Paul Serinen en préventive à la maison d'arrêt de Rouen, au milieu des petits dealers et des grands voleurs de sacs à main. Mon codétenu ne me regarda pas quand je pénétrai dans la cellule. Je m'allongeai sur le lit en songeant que, depuis la veille, un break chargé de fusils rares dormait toutes portes ouvertes devant un hôtel de Rotterdam.

On me présenta un avocat, on prépara ma défense, les charges étaient lourdes. Braquage à main armée, menace de mort, vol avec violence, séquestration, puis une cavale de deux ans. Il me disait de garder le moral mais je n'allais pas si mal. Je voulais seulement savoir comment on m'avait repéré, d'où venaient ces photos. Il ne savait pas non plus. Je fouillais dans mes souvenirs, je ne trouvais rien. Comment avait-on pu me localiser au printemps dernier sans m'avoir coffré plus tôt ? Et me laisser vendre des violons, skier, puis voler un diamant, surtout celui-là, et l'enterrer, sans rien me dire ? La fouille de la maison n'avait rien donné, on avait juste retrouvé mon revolver dans la boîte à gants de ma voiture. Ces photos n'avaient pas dû être prises par la police. Je fixais le plafond pendant des heures.

Et puis le procès eut lieu. Trois jours d'audience. Le gros con à la barre, qui recréa le dialogue qu'on avait eu au self. Toujours aussi sûr de lui. Il me regarda, un peu de biais quand même, il m'identifia formellement. Mon petit chauffeur aussi, maintenant à la retraite. Anticipée, à cause du traumatisme. Pas méchant, plutôt désolé. Mais formel. Le procureur dit que j'étais violent, dangereux, je l'écoutai sans protester. J'avais pris tellement de hauteur depuis l'époque des faits que j'avais l'impression qu'il parlait d'un autre. Dans le fond, j'étais assez d'accord avec lui. Mon avocat fit de son mieux mais ne put pas grand-chose. Je vis ma mère pleurer pendant sa plaidoirie. Je me levai et demandai pardon à la cour, aux jurés et au petit chauffeur. J'étais sincère.

Le verdict est tombé, j'ai pris huit ans ferme. C'était il y a cinq mois.

XI

Novembre 2004

J'ai trente ans. J'ai sauté à l'élastique et testé toutes les drogues, je m'appelle Paul Serinen et ma véranda cache le plus gros diamant du monde. J'aimerais voir Mathilde. J'ai un compte à Jersey et mon revolver est sous scellés dans les bureaux de la justice. J'aurais voulu faire paraître une annonce dans *Libération*, « Station République, bonne chance pour la suite », ou quelque chose comme ça, mais je n'en ai pas parlé à mon avocat. Ils ne savent rien de tout ça. Je n'ai pas planté d'arbre, mais je n'en ai pas déraciné non plus. Je n'ai jamais vu de baleine. Je suis jeune.

Le pancréas est un des organes majeurs de l'appareil digestif. C'est mon compagnon de cellule qui a donné l'alerte, il a appelé les gardes et j'ai été emmené d'urgence à l'hôpital. J'aurais bien aimé braquer une banque. L'adrénaline. L'infirmière qui me fait des sourires m'a appelé par mon prénom. Je ne sens plus mes membres. C'est la morphine. Il n'y a que ça qui arrive à prendre le dessus sur la douleur. J'ai lu beaucoup de livres mais aucun sur la médecine. Je n'avais jamais entendu parler du pancréas. Le cancer du pancréas est un des plus foudroyants. Pas d'antécédents familiaux mais du tabac en masse, du café, de l'alcool, on ne sait pas, c'est le hasard. Il y a deux mois et demi que je suis ici, sous haute surveillance. On me filme en permanence, un garde devant ma porte. Je suis branché de partout, on ne pourrait pas m'emmener bien loin de toute façon. Je n'ai rien vu venir, j'ai eu mal tout d'un coup, je me suis tordu, j'ai craché du sang. Depuis, mon état n'a fait qu'empirer et la chimio m'épuise.

Les photos de moi prises dans mon jardin m'obsèdent. Elles sont gravées dans mon cerveau. Je ne sais toujours pas qui tenait l'appareil, qui m'a balancé. Mes voisins, peut-être. Mon avocat a essayé d'obtenir des renseignements auprès de l'inspecteur de la PJ de Rouen, celui qui trouvait tout chouette, mais il n'a rien voulu lui dire. Secret de l'instruction. Je ne saurai jamais quelle erreur j'ai pu commettre ou qui m'a démasqué.

Et deux mois après le procès, une sentence beaucoup plus lourde m'a fait me tordre de douleur et perdre tous mes cheveux depuis. Je suis enfermé, rachitique et mourant. Foudroyé, fauché en plein vol. Dans quelques jours, La Sauvagère sera vendue aux enchères, c'est ce que j'ai demandé à mes parents. L'argent leur reviendra. Et comme Verpraat aura été mis au courant par mon frère que ce qu'il cherche est sous la véranda, il va payer cher, peut-être une fortune, il l'aura et fera déterrer la petite caisse en métal, il retrouvera son joli Magnolia. Moi, je serai avec le projectionniste nantais, je lui demanderai ce qui s'est vraiment passé ce soir-là sur le parking. Mes parents toucheront une grosse somme d'argent, ils en feront ce qu'ils voudront, ils le donneront à mon frère s'ils le veulent, ils m'ont dit qu'il les avait appelés du Portugal, ils entendaient très mal et ça a coupé, ou aux veuves des jockeys morts sur les hippodromes, ou à n'importe qui. J'ai trente ans, je suis jeune. J'ai volé six mille sacs en croco et, depuis, je me suis fait discret.

La porte s'est ouverte, quelqu'un est entré et a refermé. Un médecin, sans doute. J'ai la tête calée dans un gros oreiller et mon cou décharné n'a plus de force. J'ai les yeux presque clos, ma vision est trouble, il s'approche et se penche sur moi dans son costume noir, mon dernier sursaut est pour lui, quand je vois sa chevelure et ses sourcils tout blancs, quand je reconnais l'amateur de chevaux de course que j'ai vu sur Internet, Verpraat, qui me sourit de toutes ses dents juste au-dessus de mon visage. Il reste plusieurs secondes à me regarder au fond des yeux.

Puis il se redresse et tourne autour de mon lit, j'essaie de le suivre du coin de l'œil mais je n'y arrive pas. Il revient près de moi sans un mot.

« Qu'est-ce que vous voulez, je finis par articuler tout bas.

— Vous dire comment l'histoire se termine, dit-il. Monsieur Paul Serinen. »

Il a l'air dégoûté, au bord de la nausée, en prononçant mon nom. Je sens son souffle chaud envahir mon oreille, il a une voix grave, il parle doucement, il dit qu'il sait pour la véranda, qu'il va acheter la maison et que, quel que soit le prix, ce ne sera qu'une broutille face à la valeur du Magnolia.

« Minable », lâche-t-il en se relevant doucement.

Il se remet à marcher, ça n'en finit pas. Il se rassoit sur le lit, il prend un air affecté puis redevient dur.

« Comme votre frère, dit-il. Voulez-vous que je vous raconte mon entrevue avec lui ? »

Je ferme les yeux mais il continue, détache les syllabes pour que j'enregistre tout, il me dit que mon frère l'a appelé pour lui fixer rendez-vous, lui vendre un renseignement. Lui et ses hommes s'y sont rendus.

« Je l'ai finalement invité sur mon yacht, murmure-t-il, et votre abruti de frère a accepté. Dès que nous avons été installés dans les canapés du salon, mon équipage a largué les amarres. »

Je lui souffle de cesser mais il hausse le ton en me racontant la suite. Ils ont filé vers la pleine mer et deux molosses l'ont passé à tabac dans la salle des machines. Quand ils l'ont remonté, les dents et un bras cassé, mon frère a déballé tout ce qu'il savait, la véranda et moi, il les a suppliés de le laisser partir, il pleurait et ses larmes brûlaient les plaies de son visage. Ils lui ont alors fait remplir une dizaine de cartes postales à l'adresse de mes parents en les datant sur l'année à venir. La dernière dit qu'il est au Pérou et qu'il tient un restaurant.

« Nous les posterons les unes après les autres des quatre coins du monde, sourit-il. Dans un an, vos parents penseront toujours qu'il est bel et bien vivant. Nous avons aussi pris son téléphone mais, d'un pays à l'autre, les liaisons sont si mauvaises… »

Je ne peux plus bouger, pas même crisper mes mains sur les draps. Mes yeux oscillent à peine, je vois sa silhouette et son regard si dur. J'ai surtout vu que la caméra, là-haut, n'a plus de petite lumière rouge. On est tous les deux dans ma chambre d'hôpital, je suis cloué au lit, et Verpraat va mettre fin à mon dernier chapitre. Laver son honneur. Il a payé les gardes pour cesser de voir et d'entendre. Pour les quelques minutes qui me restent, je pense à Mathilde. Et à ce que m'avait dit mon petit chauffeur. Je suis jeune. Mon frère est mort en pleine mer. J'ai été un jeune loup et je suis le plus grand des voleurs.

Je vois Verpraat se pencher vers la rallonge électrique, il la prend en main et se remet face à moi, il va me débrancher.

« Savez-vous pourquoi j'aime la mer et la montagne ? » me demande-t-il.

Il savoure mon silence. Il n'y a que le bip de l'électrocardiogramme.

« Parce que l'eau et la neige scintillent au soleil. Comme des milliers de petits diamants. Mais vous ne pouviez pas savoir. Vous n'êtes que Paul Serinen », finit-il par lâcher.

J'ai perdu.

Deuxième partie

I

Janvier 2006

C'était notre dernier jour de soleil. Je profitais
jusqu'au bout de l'eau turquoise. Après deux semaines
passées ici, je n'en revenais toujours pas tant elle était
limpide. Mouillé jusqu'à mi-buste, je pouvais voir mes
pieds en baissant les yeux. En Normandie, on ne dépassait pas les trois centimètres de visibilité. J'ai encore
plongé plusieurs fois et je suis sorti rejoindre Alice qui
bronzait sur le sable. Elle était dorée dans son maillot
bleu marine, une jambe repliée, un bras sur ses yeux,
elle était magnifique. J'ai marché vers elle en bombant
le torse, elle m'a vu faire, elle a rigolé, j'ai plaqué mes
cheveux en arrière et je me suis allongé près d'elle.
Nous nous sommes embrassés. Nos valises étaient
prêtes, nous reprenions l'avion le lendemain matin très
tôt. Nous étions ensemble depuis cinq ans et les sentiments que nous avions l'un pour l'autre n'avaient fait
que se renforcer avec le temps. J'étais fou d'elle. Parfois, pendant les cours de voile que je donnais à Étretat,
je parlais d'elle à mes élèves. Toutes les épreuves que
nous avions subies n'avaient fait que nous rapprocher.
Son avortement, dans les premiers mois de notre relation, puis ma longue période de chômage, juste avant

que ce soit son tour et, plus récemment, le décès de mon père, son incinération, nous avons avancé à deux, soudés, solides.

Nous nous embrassâmes longtemps. Ces quinze jours à La Réunion avaient eu des allures de lune de miel. Nous avions séjourné dans un joli motel, fait des randonnées superbes, nagé dans l'eau chaude et mangé des mangues au soleil, nous nous étions dit souvent « je t'aime ». Je mis ma tête au creux de son épaule et je le lui dis encore, je la serrai contre moi. Nous sommes restés comme ça. Lundi, elle retrouverait le secrétariat des transports Jourdain. Moi, je retrouverais mes mini-Tabarly, mes Optimist et mes caravelles. Nous absorbions encore un peu du soleil de janvier, des vitamines pour l'hiver. Nous étions heureux. Le retour signifiait aussi que nous allions retrouver La Sauvagère, notre nid d'amour. Notre petite maison, que nous avions achetée l'année dernière aux enchères, grâce aux hasards de la météo.

Décembre 2004-novembre 2005

Mon père était mort quelques mois plus tôt et je peinais à m'en remettre. Je conservais sa chaîne autour du cou, j'avais gardé les cendres avec moi, je passais de longs moments à regarder l'urne sans en revenir, une espèce de ballon ovale, mauve et marbré comme un nuage, c'était tout ce qu'il restait. Suivant les jours et la lumière, j'y distinguais des formes différentes que j'avais petit à petit apprivoisées, la fumée d'une cheminée d'usine, un orage sur la mer et parfois son profil, son regard. Dans ces moments-là, Alice venait près de moi, elle me prenait la main en silence.

Nous louions un appartement sur les hauteurs du

Havre, à Sanvic. Nos deux salaires ne nous permettaient pas d'envisager la moindre acquisition mais nous n'étions pas malheureux. Une fois le petit héritage perçu, nous avions de nouveau parcouru les annonces immobilières mais nous avions vite renoncé. Tout était beaucoup trop cher. Nous allions baisser les bras pour de bon quand nous étions tombés sur cet encart dans le journal, une mise aux enchères, tout en pagaille, meubles, voitures, bateaux, vêtements, pas de prix de réserve et, au milieu de ce foutoir, une maison à Étretat. La vente se déroulait la semaine suivante toute la journée. Le matin serait réservé aux meubles et bibelots, l'après-midi, au reste. Nous étions allés voir La Sauvagère, le nom nous plaisait, et nous étions tombés sous le charme. Une jolie petite maison en pierres au milieu d'une clairière, une véranda lumineuse qui n'avait pas un an, nous nous étions mis à rêver.

Nous nous étions rendus à la vente sans trop y croire dès l'ouverture des portes, le matin, pour tenter de voir comment il fallait s'y prendre. Il n'y avait que des brocanteurs autour de nous. Et puis on avait vu un gros type tout bouffi monter sur l'estrade, il s'était présenté, maître Martineau, notaire. Il avait expliqué que le commissaire-priseur en charge de la vente avait fait une sortie de route en raison du verglas et qu'il ne viendrait pas. Les sifflets avaient fusé, il avait levé les bras pour réclamer le silence et avait ajouté qu'il assurerait par conséquent la session lui-même. Quelques cris de soulagement avaient suivi.

« Cependant… ! » avait-il tonné.

Silence.

« Cependant, bien qu'y étant autorisé par mon statut, je me refuse à pratiquer le commerce des objets d'art, mes compétences dans ce domaine étant par trop limitées. Je ne procéderai donc qu'à la vente des biens immobiliers, nautiques et automobiles. »

Les antiquaires étaient furieux, certains lui gueulaient dessus, d'autres partaient en jurant de ne jamais revenir, d'autres encore tentaient de le convaincre de mener la vente malgré tout. Il était resté sourd à tout ça et avait annoncé le premier lot, une vieille CX turbo diesel, sous les huées. Alice et moi, nous nous étions faits tout petits sur nos sièges.

Les rangs s'étaient clairsemés, le calme avait fini par revenir, deux ou trois voitures avaient trouvé preneur malgré les réticences, ils partaient tous les uns après les autres passer leurs nerfs plus loin. Nous n'étions plus qu'une dizaine. Le notaire en avait marre, il adjugeait en hâte sans même tenter de faire grimper les offres. Quand il en arriva à la maison, il n'en fit aucune description, il annonça le prix et je levai une main timide. Il répéta, Alice regarda derrière nous, personne n'ajouta rien. J'avais toujours le bras en l'air, tremblant, quand le marteau cogna dur.

La salle était déserte. Les brocanteurs n'étaient venus que pour les meubles. Les agents immobiliers ou les investisseurs ne viendraient que l'après-midi. Les quelques badauds dans le fond nous regardaient avec le sourire, tout à notre bonheur. Nous étions là, comme deux gamins à Noël, nous venions d'acheter La Sauvagère.

Elle était entièrement meublée, mais nous n'avions rien gardé, tout était beaucoup trop sombre à notre goût. Le frère d'Alice était venu avec sa camionnette et nous avions fait place propre, des dépôts-ventes à la déchetterie. Nous avions emménagé deux semaines plus tard. J'avais fait un bel enduit vert olive dans le salon, Alice avait repeint la cuisine en jaune pâle. Là-haut, à côté de notre chambre, il y avait une pièce sans fenêtre et nous avions prévu d'en faire poser une quand nos finances nous le permettraient. Ce serait la chambre de l'enfant que nous aurions.

Et puis il y avait la véranda avec son carrelage à damier noir et blanc, une vraie pièce de plus ouverte sur la nature, nous y avions installé notre salon. J'avais posé l'urne contenant les cendres de mon père sur une petite table basse dans un coin. Le soleil glissait sur elle du matin au soir. Je m'en voulais un peu d'imposer à Alice la vue de cet objet. Je ne parvenais pas à faire autrement. Elle comprenait.

Une fois l'aménagement terminé nous avions eu un sentiment de plénitude. Nous nous sentions chez nous depuis toujours. L'endroit que nous avions imaginé si souvent, la maison, nous y étions. Tout nous semblait évident, nous en étions tombés amoureux dès le début. Même le couple de voisins, les retraités qui nous avaient souhaité la bienvenue dès le premier jour, il nous semblait les connaître depuis longtemps. Ça nous avait fait le même effet quand Antoine et Christelle avaient emménagé dans la troisième maisonnette de la clairière quelques semaines après nous. Je ne travaillais pas ce jour-là et j'étais allé leur prêter main-forte pour porter un canapé. Le soir, ils nous avaient offert une bière au milieu de leurs cartons pour me remercier du coup de main. Ils arrivaient de Lille, ils venaient de racheter un pas-de-porte dans Étretat pour y monter une crêperie. Ils ne connaissaient pas la Normandie mais avaient craqué sur la beauté des falaises. Christelle avait fouillé pour nous trouver des verres en nous voyant boire à la bouteille, elle avait rigolé en disant que, pour des restaurateurs, le service laissait à désirer. Antoine nous avait parlé des travaux qui les attendaient avant de servir leur première assiette, ils en avaient pour deux mois au moins, ils espéraient ouvrir début mars. Nous les avions quittés vers dix heures en leur souhaitant de bien se reposer et nous étions rentrés chez nous dormir.

Nous avions déjà dîné deux ou trois fois ensemble quand ils avaient ouvert au printemps. Ça s'appelait L'Antonelle. Ils avaient fait un bel endroit, assez simple, tout en bois clair. Antoine cuisinait à la vue des clients derrière ses crêpières et Christelle avait le sourire communicatif, sa belle peau noir clair irradiait. La réussite de leur entreprise tiendrait d'ailleurs plus à la chaleur de l'accueil qu'à la qualité des galettes ; nous nous y rendions de temps à autre, il y avait toujours du monde. La troupe de théâtre d'Étretat, Le Rideau Rouge, dont Christelle faisait partie depuis peu pour un petit rôle, y finissait généralement ses répétitions devant un verre. Nous étions devenus amis. Alice et Christelle faisaient les soldes ensemble et Antoine et moi sortions faire du bateau. Nous partagions le même amour de la mer et du large. Parfois, nous longions la côte et allions déjeuner sur le port de Dieppe. Pendant ces heures de navigation, nous abordions tous les sujets de nos vies, l'amour, l'argent, la solitude, la mort. Il avait perdu ses parents tout jeune. Il avait été élevé par un oncle et Christelle et lui s'étaient connus au lycée. Ils étaient ensemble depuis plus de quinze ans. Parfois nous ne parlions pas.

Voyant que tout fonctionnait bien, Antoine s'était un peu détendu. Il avait beaucoup appréhendé leur installation mais à présent tout roulait. Ils avaient même pu embaucher un serveur à mi-temps durant la saison et le Guide du Routard avait vanté la chaleur de l'endroit. Moi, cet été-là, j'avais dû encadrer un groupe de jeunes délinquants que le bruit des vagues allait peut-être apaiser. Une bagarre avait éclaté sur le voilier dès la première sortie, je les avais séparés par le gilet de sauvetage en hurlant. Dans les jours qui avaient suivi, je n'avais pas toléré le moindre écart et, au terme des deux semaines, j'avais eu l'impression en les regardant partir d'avoir fait du bon travail. Ils m'avaient tous serré la main avant de remonter dans le minibus qui les ramènerait vers leurs tours.

Le calme était revenu à l'automne en même temps que les premières averses. Le club nautique avait fermé pour l'entretien des bateaux, Alice avait suivi un stage d'anglais commercial afin de prospecter outre-Manche et Antoine avait préparé sa nouvelle carte pour l'hiver. Christelle s'était investie dans la troupe où, selon le metteur en scène, un instituteur à la retraite, son talent « brûlait les planches ». On pensait lui confier le rôle titre dans la prochaine pièce, elle nous racontait ça devant des lasagnes que j'avais préparées l'après-midi. C'est ce soir-là que nous leur avions appris que nous partirions deux semaines en vacances mi-janvier, notre premier grand voyage à tous les deux. Christelle nous avait regardés avec envie et Antoine avait soufflé qu'ils prendraient peut-être un peu de repos aussi avant que la saison redémarre.

« On verra ça début avril. En attendant vous nous montrerez les photos, avait-il dit en souriant. Ça nous fera patienter... »

Nous avions pris le café dans la véranda. La pluie ruisselait sur les ardoises. On fêtait Noël dans un mois.

Janvier 2006

Le froid nous a saisis en sortant de l'aéroport. Il était vingt-deux heures, il faisait nuit noire, il tombait des trombes d'eau.

« Bienvenue en métropole », j'ai dit en lâchant la valise au-dessus d'une flaque.

Alice l'a aussitôt attrapée et secouée pour tenter de la sécher. Un taxi nous a emmenés jusqu'à Saint-Lazare, nous avons attendu une petite heure au buffet de la gare et notre train est parti pour Le Havre. À notre arrivée, il pleuvait toujours autant. Nous avons couru vers le parking en plein air et nous sommes engouffrés dans la voiture, trempés jusqu'aux os. J'ai roulé en pleins phares et doucement jusqu'à Étretat. Les essuie-glaces balayaient tant bien que mal le pare-brise. Nous avons allumé la radio. En quinze jours, nous ne nous étions tenus au courant de rien, nous avions peut-être loupé quelque chose. Mais à cette heure-là, il n'y avait plus que de la musique, c'était bien aussi. Alice m'a mis la main sur la cuisse.

Nous revenions de deux semaines paradisiaques. Le lendemain, nous ferions développer les photos et nous les montrerions à Christelle et Antoine. Nous roulions vers chez nous. Ça jouait de la trompette dans les enceintes et j'avais la main d'Alice posée sur ma cuisse.

Je ne vois pas ce que j'aurais pu demander de plus.

II

Janvier 2006

Je me suis levé tôt. J'ai passé un doigt sur la joue d'Alice qui dormait encore et j'ai enfilé mes vêtements en silence. Je suis descendu. Pendant que le café passait, j'ai regardé le courrier qu'Antoine et Christelle nous avaient trié sur la table. Ils nous avaient même monté le chauffage pour qu'on ne soit pas trop dépaysés, ça nous avait fait rire le soir en rentrant, il faisait au moins vingt-deux. Nous étions montés nous coucher directement, le voyage avait été long. Deux factures, des offres exceptionnelles et une tardive carte de vœux.

Je me suis servi un café et je suis revenu vers la salle. Il ne pleuvait plus. Derrière la baie vitrée, le vert de la clairière luisait au soleil. J'ai regardé l'urne. Une drôle d'impression m'est venue. J'ai fait deux pas de côté mais c'était toujours là, un doute, je ne voyais pas son profil dans les marbrures, ni la cheminée d'usine ni l'orage sur la mer. J'ai posé ma tasse et je m'en suis rapproché, et l'impression étrange m'a envahi à mesure que je foulais le carrelage, comme si je n'avais plus été chez nous vraiment, comme des frères jumeaux qui se font passer l'un pour l'autre, c'était pareil mais différent. J'ai tourné sur moi-même sans parvenir à définir ce qui clochait et me suis planté devant sans la retrouver. La même urne, ovale et mauve, froide et lisse, nuageuse, mais je n'y distinguais rien. Ça n'était plus celle de mon père.

J'ai reculé sans la quitter des yeux, j'ai regardé autour et tout m'a paru bizarre sans pouvoir dire pourquoi. Je me suis assis. Quand Alice est descendue je n'avais pas bougé d'un cheveu. Elle est revenue de la cuisine avec son café et m'a demandé si ça allait. Je lui ai montré la véranda d'un geste vague. Je lui ai dit que quelque chose avait changé, elle s'est étonnée et a tourné la tête, elle trouvait que tout était normal.

« Ça n'est pas mon père », j'ai dit.

Elle s'est approchée de l'urne, elle l'a fait pivoter, elle l'a examinée sous plusieurs angles.

« Non tu as raison, a-t-elle fini par admettre. C'est la même mais ça n'est pas celle de ton père. »

J'ai regardé par la fenêtre, la voiture d'Antoine et Christelle n'était pas là, ils devaient déjà être à la crêperie. Nous sommes montés prendre notre douche ensemble et avons décidé d'aller à L'Antonelle après manger pour leur demander ce qui s'était passé.

C'est alors que nous tombâmes vraiment de haut. Malgré tout ce que nous pûmes découvrir ou supposer par la suite, c'est à ce moment-là que nous nous prîmes la plus grosse gifle. Quand nous rentrâmes dans L'Antonelle et que nous fûmes accueillis par une serveuse qui n'était pas Christelle, quand nous vîmes le crêpier qui n'était plus Antoine. Quand elle nous dit tout sourire qu'ils étaient les nouveaux patrons, depuis une semaine, et que l'apéritif était offert. Quand elle nous dit que les anciens propriétaires avaient mis en vente à peine deux mois plus tôt à un prix dérisoire pour partir vivre en Afrique.

« Au Maroc, je crois. En tout cas, ils étaient pressés, il a fallu se décider très vite.

— Et ils ne vous ont rien dit d'autre ? balbutiai-je.

— Non, non. Deux couverts ? »

Nous ressortîmes accablés. En marchant vers la maison, j'appelai sur leur portable, le numéro n'était plus attribué. Ils n'en avaient qu'un pour deux, ils vivaient collés l'un à l'autre. Jamais ils n'avaient parlé de vendre, encore moins de quitter la région. Nous allâmes sonner à leur porte, taper contre les volets en criant leurs noms mais ça ne changea rien, il n'y avait plus personne. Ils étaient partis.

Dans notre boîte aux lettres, je trouvai la clé que nous leur avions confiée pour arroser nos plantes. Nous cherchâmes partout, rien, pas un mot d'explication. Pas un au revoir, pas un signe, juste une disparition brutale et cette urne qui m'était étrangère.

J'allai voir les voisins, c'est lui qui m'ouvrit avec son sourire jovial.

« Oh, le vacancier-tout-nu-tout-bronzé, me dit-il en me serrant la main. Ça va bien ? »

J'essayai d'être bref et d'éluder ses questions, je lui promis de leur montrer les photos. Puis je lui demandai s'il savait où étaient passés Antoine et Christelle. Il eut l'air surpris et me parla de la Tunisie, il ne savait rien de plus. Je ne fis pas de commentaire. Je le remerciai avant de partir, il me demanda si j'étais satisfait du résultat des travaux. Je me retournai.

« C'est vrai qu'une isolation parfaite, par chez nous, ça fait faire de bonnes économies », ajouta-t-il.

Il rigola devant mon air incrédule.

« Votre véranda », dit-il.

Comme je ne répondais pas :

« Les travaux que vous avez fait faire dans votre

véranda pendant vos vacances. Vous êtes contents ou pas ? »

Je le fixai sans comprendre.

« Monsieur Morin, finis-je par dire, ça va sans doute vous paraître bizarre mais… Est-ce que vous pourriez me dire ce qui s'est passé chez nous en notre absence ? »

Il me regarda, un peu inquiet, et hésita dans sa réponse. Il sortit, nous marchâmes doucement vers la maison. Il me dit que, pendant ces quinze jours, la véranda avait été intégralement démontée, le carrelage enlevé, la chape défoncée, tous les joints refaits, du double vitrage pour la baie vitrée, tout remonté dans la foulée. Les dernières ardoises avaient été posées avant-hier.

« D'ailleurs vous voyez, me dit-il en me montrant la toiture, les clous sont neufs, ils brillent encore. Et le camion a labouré la pelouse en partant… »

Mon corps était parcouru de frissons, je ne parvenais pas à articuler le moindre mot.

« Mais qu'est-ce qu'il y a ? me dit-il en me touchant l'épaule. Qu'est-ce qui se passe ? Vous savez, j'ai regardé les ouvriers travailler, ils ont fait ça bien, vous n'avez pas à vous inquiéter. Et c'est votre ami, Antoine, qui supervisait les travaux. Regardez, c'est propre, non ? »

Je le laissai là et rentrai, je ne sais plus ce que je fis, rien, sans doute. Je racontai tout à Alice. Nous regardâmes le carrelage et il nous sembla plus clair qu'avant, le bois nous parut plus mat, le verre moins limpide, on ne comprenait rien. Quinze jours plus tôt, nous avions un couple d'amis et une maison charmante. Aujourd'hui, nous n'avions plus qu'une absence et une odeur de neuf. Antoine et Christelle avaient cassé notre véranda pour la reconstruire à l'identique et s'étaient envolés. En prime, ils venaient de me faire perdre mon père une seconde fois.

III

Janvier-février 2006

Alice ne trouva le sommeil que très tard. Moi, pas du tout. Quand le réveil sonna elle avait tout au plus dormi deux heures. Je me levai avec elle, je descendis faire du café. Elle le but en bâillant et me serra dans ses bras avant de partir au travail. Moi, je ne reprenais que mercredi. J'allai me laver et décidai de retourner à L'Antonelle et chez les voisins.

Mais les nouveaux patrons ne m'apprirent rien de plus. Ils me répétèrent simplement ce qu'ils m'avaient dit la veille, la vente précipitée, le prix modique et le Maroc. L'adresse mentionnée sur l'acte de vente était celle de la petite maison qu'ils louaient à côté de la nôtre.

« On n'a même pas un numéro de téléphone sur lequel on pourrait les joindre », ajouta le crêpier.

Je rentrai à pied et allai sonner chez les Morin, c'est encore lui qui m'ouvrit, cette fois beaucoup moins jovial. Il me dit que je n'avais pas l'air bien, me fit entrer, ils m'offrirent un café sur la table de la cuisine. Je leur demandai si Antoine ne leur en avait pas dit plus quant à leur départ. Ils essayèrent de se souvenir tous les deux mais non, l'Afrique, c'était tout.

« Mais vous savez, me dit-il, on n'a pas trop parlé

avec eux. J'ai échangé quelques mots avec lui la semaine dernière, en vitesse. »

Je leur demandai s'ils savaient qui gérait la location de leur petite maison. C'était maître Martineau. Et puis madame Morin s'intéressa à notre voyage, je répondis brièvement avant de prendre congé. Il fallait que je parle au notaire.

J'appelai tout de suite. La secrétaire me le passa. Il était distant, toujours essoufflé, il parlait d'un ton morne et détaché, il ne m'apprit rien de plus. J'insistai, je lui demandai de fouiller dans ses souvenirs, il me coupa la parole en me répétant qu'il ne savait rien et que, de toute façon, il n'avait pas à répondre à mes questions.

« Ils ont réglé leur préavis, l'état des lieux a été fait dans les règles, ils sont partis sans laisser d'adresse. Voilà.

— Ils vous ont parlé de l'Afrique ? Le Maroc, la Tunisie ?

— Non. Vous m'excuserez mais j'ai du travail. »

Je recomposai leur numéro de portable, on m'avait dit la veille qu'il n'était plus attribué mais je tentai quand même. La même voix douce de l'opérateur, le même cul-de-sac.

J'ai tourné en rond, j'ai tapé sur tous les carreaux noirs et blancs en comparant les sons, je suis sorti plusieurs fois constater la brillance des clous de la toiture, j'ai fait coulisser la baie vitrée d'avant en arrière. Mon regard retombait toujours dans le vide ou sur l'urne. Quand Alice est rentrée je n'avais rien découvert de plus. Nous dînâmes en résumant ce que nous savions, c'est allé vite, nous ne savions rien.

Je retrouvai mes petits navigateurs le mercredi. J'étais content de les revoir et c'était réciproque. Ils rigolèrent devant mon bronzage. Torpédo me demanda si Alice avait la marque du maillot, ça les fit tous rire. Il était marrant, ce gamin. Tout le monde l'appelait Torpédo, même ses parents, personne ne savait d'où ça venait. Nous fîmes une sortie en caravelle sous le ciel couvert.

Nous avions retourné le problème dans tous les sens avec Alice et nous n'avions pas avancé d'un pouce. Nous ne comprenions rien à la disparition d'Antoine et Christelle, leur départ précipité ressemblait à une fuite. J'étais allé voir le metteur en scène du Rideau Rouge, il m'avait reçu au milieu de ses livres et de ses affiches de Gérard Philipe. Il n'était au courant de rien non plus.

« C'est vraiment dommage, m'avait-il dit. Elle avait une présence incroyable, on tenait une vraie actrice. Elle va nous manquer... »

Et puis il y avait cette histoire de véranda. Et les cendres de mon père. Ça nous glaçait le sang. Je m'étais rendu à la gendarmerie sans trop savoir quoi leur dire, j'étais tombé sur une petite brune en uniforme qui m'avait aussitôt soupçonné de raconter n'importe quoi. Le brigadier-chef était sorti de son bureau pour poser le problème bien à plat, ils m'avaient écouté en fronçant les sourcils.

« Pour résumer, avait-il conclu, il n'y a pas d'effraction, on ne vous a rien volé. Vos voisins ont déménagé sans vous prévenir. Vous voulez porter plainte ? »

J'avais plaqué les mains sur le comptoir d'accueil en cherchant mes mots.

« Mais l'urne, avais-je bredouillé. C'en est une autre. »

La gendarmette avait endossé son rôle de femme, toute en douceur. Elle m'avait dit que la perte d'un être cher occasionnait toutes sortes de troubles, qu'il ne fallait pas que je me laisse aller, je devais me ressaisir. J'étais ressorti consterné par tant d'indifférence et furieux de m'être embourbé de cette façon.

Les jours passèrent, nous attendions un coup de fil ou une lettre mais rien ne vint jamais. Je regardais le gros œuf mauve sans y voir apparaître quoi que ce soit. Nous avions fouillé dans nos souvenirs, tout ce qu'ils avaient pu nous dire sur eux, le Nord et leur amour, ça ne nous avait menés nulle part. Le soir, Alice me racontait ses journées passées au téléphone avec l'Angleterre, je lui parlais de mes mini-Tabarly, les blagues de Torpédo, mais nous étions ailleurs. Nous ne prenions plus l'apéritif sous la véranda, nous mangions dos à elle sans nous être concertés. Nous parlions d'autre chose mais nous ne pensions qu'à ça, une ombre planait sur nos têtes.

Au bout de quelques semaines, je songeai que nous n'avions pas cherché du côté des travaux. Monsieur Morin m'avait dit que le chantier avait duré quinze jours, il avait fallu du matériel, un camion, des ouvriers. Je consultai l'annuaire de Seine-Maritime, il y avait huit entreprises spécialisées dans la construction de vérandas, plus une quarantaine de maçons aux compétences multiples. Je les appelai tous, cela me prit une journée entière.

Aucun n'avait travaillé chez nous. Antoine et Christelle avaient pris d'insurmontables précautions. J'étais abattu. Ce qui m'intriguait par-dessus tout, c'était qu'aucun de ces artisans n'avait construit la moindre véranda à Étretat depuis au moins dix ans. Pourtant, le notaire nous avait signalé que la nôtre avait à peine onze mois. Et monsieur Morin me l'avait confirmé. Une fois le dernier appel passé, j'allai poser mes pieds sur le damier noir et blanc. C'est là que, pour la première fois, je me demandai qui étaient vraiment Antoine et Christelle. Et que, pour la première fois, je me demandai qui avait habité cette maison avant nous.

IV

Mars-avril 2006

Ils s'appelaient Antoine et Christelle Levillier. Aucun des annuaires du monde n'avait d'eux la moindre trace. Les moteurs de recherche me conseillaient de changer le « e » en « a » et me guidaient vers les pages du chanteur, on me proposait de me faire coiffer à Toulouse, chez Christelle et Antoine, toutes coupes à prix modiques, on me donnait aussi le classement des vingt kilomètres de Bayonne où une Christelle Salinan et un Jean-Claude Levillier s'étaient imposés dans leurs catégories respectives. Mais sur Antoine et Christelle Levillier, il n'y avait rien nulle part.

J'avais tapé les associations de mots les plus improbables sur tous les sujets qui pouvaient de près ou de loin les concerner, « crêperie » + « Lille » + « Maroc » ; « théâtre » + « galette », j'avais scruté des centaines de pages en espérant découvrir quelque chose. J'avais parcouru la moitié de la planète sans que rien ne me ramène à eux. Sur le site de l'IGN, la dernière vue aérienne de la clairière datait d'il y a quelques mois. On voyait les trois maisons, notre véranda, on distinguait même leur voiture.

Maître Martineau me reçut dans son bureau tendu

de tissu bleu roi. Je m'excusai de ne pas avoir pris rendez-vous, il émit une sorte de grognement sans me prêter le moindre regard. Il repoussa quelques papiers devant lui et croisa ses mains grasses en levant les yeux vers moi.

« J'ai quelque chose à vous demander », commençai-je.

Aucune réaction. Sa moue boudeuse et sa respiration bruyante.

« Qui habitait notre maison avant nous ? »

J'étais tendu et il dut le sentir. Il se leva, il se traîna vers un grand cartonnier. Il ouvrit plusieurs tiroirs et revint vers son fauteuil avec une chemise assez épaisse. Il me regarda par-dessus ses lunettes en soufflant. Je le fixais sans rien dire. Il baissa les yeux sur les documents, il les parcourut en diagonale en s'arrêtant seulement sur les noms et les dates.

« Madame Lepoulet Henriette cède son bien à madame Cornu Madeleine, née Vilard, veuve, retraitée des postes... Signature le jeudi 27 juin 1971. »

Il sauta plusieurs pages en marmonnant et posa l'acte de vente sur son sous-main en cuir.

« Voilà. Suite au décès... les héritiers... là, là, là... » Et s'éclaircissant la voix : « À monsieur Serinen Paul, né le 4 octobre 1974 à Évreux, sans profession. » Puis après un silence et quelques pages : « ... décédé le 28 novembre 2004 au CHU de Rouen. »

Il me regarda.

« Il est mort de quoi ?

— Cancer du pancréas.

— Il était comment ?

— Plutôt solitaire, pas bavard, dit-il. Et jeune... »

Je notai tout ça sur un bout de papier et roulai vers Étretat. La route serpentait le long de la côte, on voyait les falaises blanches qui plongeaient dans la mer. C'était magnifique. Je pensais à ce Paul Serinen, qui avait dû contempler ce paysage aussi. Mort à trente ans, sans profession. Et propriétaire depuis deux ans d'une maison qu'il avait payée sans faire d'emprunt. Un héritage, peut-être. Un fils de famille. Les Morin nous avaient dit aussi que c'était un gars taciturne.

« Quand on lui disait bonjour il ne répondait même pas », avait-elle dit.

Son mari lui avait fait signe de parler d'autre chose.

Je roulais vers la maison en regardant un voilier sur l'eau. J'aurais bien proposé une sortie à Antoine la semaine suivante s'ils avaient encore été là. Je me demandais si Paul Serinen aimait la mer.

Des Paul partout dans tous les corps de métiers, une Sylvie Serinen inscrite sur un site de retrouvailles d'anciens copains d'école et un Paul Serinen dans les archives d'*Ouest-France*. Condamné à huit ans de réclusion le 19 juin 2004 aux assises pour vol à main armée. Arrêté trois semaines plus tôt à son domicile d'Étretat par les inspecteurs de la PJ de Rouen. J'étais suspendu à l'écran. L'article décrivait un braquage violent et commis de sang-froid, pour un butin estimé à un million d'euros dans le commerce traditionnel. Et un accusé calme, silencieux. Il n'avait ouvert la bouche qu'au terme des trois jours d'audience pour exprimer des regrets sans émouvoir le tribunal. À l'énoncé du verdict, il avait fixé le procureur et avait, paraît-il, imperceptiblement souri.

J'ai éteint l'ordinateur et je suis allé marcher sur la digue. J'ai essayé de remettre les choses dans l'ordre, sa mort, notre achat de La Sauvagère deux semaines plus tard, l'arrivée d'Antoine et Christelle, L'Antonelle, puis le voyage à La Réunion, et plus rien, plus personne et je ne voyais toujours aucun rapport. Le soir, j'ai tout raconté à Alice. Elle m'a écouté sans m'interrompre, sans réagir non plus. Quand j'ai eu terminé, elle s'est levée pour aller chercher des fruits dans la cuisine.

« Tu ne dis rien ? »

Elle est revenue et a posé une pomme dans mon assiette. Elle m'a regardé, fragile, elle ne savait pas par où commencer.

« Alors ?

— Je… Il faut arrêter », dit-elle

Elle cherchait ses mots, je l'ai laissée parler. Elle a posé sa main sur mon bras, elle m'a dit qu'il fallait tenter d'oublier, passer à autre chose. Continuer notre vie. Elle a dit qu'on ne gagnerait rien à essayer de découvrir la vérité. Elle a dit aussi que ça faisait un mois que nous n'avions pas fait l'amour et que cette histoire nous étoufferait si nous continuions de ne penser qu'à ça. Elle avait raison. Je l'ai prise dans mes bras, nous nous sommes serrés fort. Dans la chambre, nous avons changé notre lit de place, nous l'avons mis dans l'autre sens, les tables de chevet le long du mur. J'ai dit que j'allais mettre une ampoule plus douce, j'en achèterai une demain. Nous nous sommes couchés, nous nous sommes embrassés longtemps, nous avons fait l'amour en ne pensant qu'à nous deux.

J'ai changé l'ampoule, j'en ai mis une plus douce. Nous sommes allés au restaurant sur le port d'Honfleur. Le garçon nous a fait rire en servant une table d'Anglais sans rien comprendre à ce qu'ils lui disaient. Il répondait « *Yes, yes* », l'air de s'en foutre complètement, et nous regardait en rigolant. Nous lui avons laissé la monnaie.

Nous avons fait l'amour souvent durant ces semaines-là, comme pour nous convaincre que nous serions plus forts que tout ça. Nous n'en parlions plus. Nous prenions le petit déjeuner dans la véranda pour nous la réapproprier complètement. Ça marchait presque. Alice allait sans doute passer deux jours à Londres le mois suivant pour y faire signer un contrat. Torpédo et sa bande apprenaient à virer de bord sous mon œil attentif. André et Jacqueline Serinen habitaient rue des Halles, à Évreux. Je les avais trouvés dans l'annuaire. Ses parents, sans doute. Je m'étais pincé pour ne pas les appeler. C'est Alice qui avait raison. Nous n'avions rien à gagner à essayer d'en savoir plus. Alice, je t'aime.

Mais elle est partie deux jours à Londres. Un jour, en mer, j'avais dit à Antoine que, sans Alice, je n'étais pas grand-chose. C'était vrai. Quand elle est partie à Londres, j'ai appelé les Serinen.

V

Quartier de La Madeleine. La cité HLM à la dérive. C'est sa mère qui avait décroché. Une petite voix, de la gentillesse. Et beaucoup d'émotion en évoquant son fils. Elle m'avait proposé de venir les voir.

Le fils de famille que j'avais imaginé s'était transformé en braqueur. En cherchant la rue des Halles où il avait grandi, je ne le voyais plus que sous les traits d'un petit voleur à la tire. J'entrai dans la tour République, je vis les boîtes aux lettres éclatées, l'ascenseur en panne, et je montai au sixième en espérant que ma voiture soit encore là dans deux heures.

Ils m'invitèrent à m'asseoir dans un fauteuil du salon. Ils prirent le canapé. Ils m'offrirent un café. Je ne savais pas par où commencer. Et puis j'étais impressionné. J'avais le sentiment de traquer un fantôme. Je répétai ce que j'avais dit au téléphone, Alice et moi, La Sauvagère.

« Enfin voilà, finis-je par dire, est-ce que vous savez ce qu'a fait votre fils ? Je sais qu'il a été condamné pour des sacs en crocodile, mais est-ce que vous savez s'il a fait autre chose ? Dans la maison, par exemple ?

— Non, dit le père. Il ne parlait pas, Paul. »

Ils étaient désolés de ne pas pouvoir m'éclairer. Ils se posaient beaucoup de questions aussi qui demeuraient sans réponse. Leur fils était mort un an plus tôt presque sous leurs yeux sans qu'ils aient même jamais su s'ils comptaient pour lui.

« Sa maison, bredouilla sa mère, enfin la vôtre, on ne savait même pas qu'il habitait là-bas.

— Nous sommes allés le voir tous les jours à l'hôpital. Nous l'avons vu dépérir, les médecins n'ont rien pu faire. Nous lui prenions la main… »

Sa mère se mit à pleurer, je me levai en m'excusant de remuer tout ça, je voulus partir et le père me retint, me disant que ça lui ferait du bien d'en parler un petit peu.

« Vous voulez voir des photos ? » me demanda-t-il.

Il sortit un album et je vis le petit Paul Serinen sur une balançoire, sur un vélo, à la mer, soufflant des bougies. Je le regardai grandir, s'affirmer, prendre la pause et une allure de dur, les années défilèrent sous mes yeux jusqu'à ses vingt ans.

« À partir de là, nous ne l'avons plus vu. À peine une fois par an, et encore. Et il ne voulait plus qu'on le photographie. Tenez, à part celle-là. »

Je regardai, la date était inscrite sur le côté, c'était trois ans plus tôt, à l'occasion d'une fête de famille. C'était avant qu'il braque ce camion près d'Amiens. Le regard ferme, mais le sourire, la chemise impeccable, une cigarette entre les dents. Il défie l'objectif, le bras autour des épaules d'un gars qui lui ressemble vaguement, beaucoup moins beau. Une tête de brute, lui.

« C'est notre deuxième. Il a fait des conneries aussi, soupira-t-il. Mais maintenant ça va, il est casé. »

La mère retrouva le sourire depuis le canapé.

« Il voyage, me dit-elle. Il ne donne pas beaucoup de nouvelles non plus, mais il est heureux. Nous avons reçu sa dernière carte il y a trois mois, il est au Pérou. Il vient d'ouvrir un restaurant. »

Avant de partir, je leur demandai si Antoine et Christelle Levillier, ça leur disait quelque chose. Je leur en fis une description, Antoine pas très grand, dans les trente-cinq ans, dégarni, l'air calme et posé, et Christelle très vive, noire, souriante et drôle. Ils ne voyaient pas. Je leur laissai mon numéro au cas où et les quittai, le cœur un peu lourd. Leur premier fils était mort après les avoir délaissés pendant dix ans, le second vivait ses rêves à l'autre bout du monde. Et Antoine et Christelle étaient quelque part en Afrique avec les cendres de mon père.

J'aurais dû rentrer. J'aurais dû retourner chez nous, acheter des fleurs, mettre une belle nappe en attendant le retour d'Alice. Elle rentrait de Londres ce soir et j'aurais dû ne penser qu'à elle. J'aurais dû essayer de chasser de mon esprit cette histoire de gentille infirmière qui avait pris soin de Paul dans ses derniers instants, je n'aurais pas dû me répéter les paroles qu'avaient eues les Serinen à propos d'elle, sa douceur et son sourire. Je n'aurais pas dû m'imaginer qu'il lui aurait peut-être fait une confidence sur son lit de mort. J'aurais dû rentrer. Je n'aurais pas dû me garer place Saint-Marc et marcher vers le CHU. Ça m'aurait évité d'apprendre que Paul Serinen avait gardé le silence jusque dans la tombe. Qu'il avait eu l'œil luisant jusqu'au bout malgré des douleurs effroyables. Je n'aurais pas appris non plus qu'il avait reçu la visite, le dernier jour, d'un homme aux cheveux tout blancs dont on ne savait strictement rien. Je n'aurais jamais entendu parler de son costume noir, de son chauffeur et de son garde du corps, ni de sa berline sombre immatriculée en Belgique. Je serais rentré sans me dire que cet homme savait certainement tout.

Je serais resté à me dire que le mystère était insondable. J'aurais retrouvé Alice le soir avec le sourire de Paul Serinen en mémoire, j'aurais gardé ça pour moi. J'aurais repensé à lui quelquefois et j'aurais sans doute repris le dessus. Notre vie aurait continué. Ça m'aurait évité d'avoir l'impression de pouvoir un jour découvrir la vérité. Ça m'aurait évité de faire pleurer Alice quelques jours plus tard. J'aurais dû rentrer, en rester là et tenter d'oublier. J'aurais dû accepter l'idée d'avoir été trahi par des amis, j'aurais dû m'y résoudre et garder des souvenirs de mon père sans chercher à savoir ce qu'on avait pu faire de ses cendres. J'aurais dû tirer un trait sur tout ça. J'aurais dû enfouir tout le mystère pour de bon et décider de ne plus jamais chercher à comprendre. En sortant de chez eux, j'aurais dû me dire que j'étais déjà allé trop loin, qu'il fallait renoncer à fouiller le passé des autres. Ça m'aurait évité de soupçonner un jour Alice de m'avoir trompé avec Antoine. Ça m'aurait évité de reconnaître Christelle malgré le maquillage. J'aurais dû rentrer. Ça m'aurait évité de me retrouver face à Verpraat huit ans plus tard, en train d'écrire des cartes postales.

Alice rentra le soir, elle m'appelait *darling*. Elle avait rapporté deux mugs ornés du drapeau anglais et une bouteille de Pimm's achetée sur le ferry. C'était un peu amer mais, avec de la limonade, ça devait rafraîchir. Elle me raconta ses deux jours là-bas, les taxis noirs et les parapluies, la signature du contrat et les bus à étage. Elle était contente. Tout s'était bien passé et Londres l'avait charmée. Je l'écoutai sans lui parler de ma visite aux Serinen ni de mon passage à l'hôpital de Rouen l'après-midi. Je lui dis que j'étais resté à lire. Elle regrettait de ne pas avoir vu Tower Bridge avant de repartir et souriait que ça nous donnerait une bonne occasion de traverser la Manche ensemble.

« Par contre, les prix sont exorbitants, dit-elle. Il faudra qu'on soit raisonnables. »

En acquiesçant, je pensais à Antoine. L'hiver précédent, nous avions pris la mer pour quelques jours, nous voulions nous rendre à Portsmouth, faire l'aller-retour, fouler le sol anglais et rentrer. Mais une fois au large, j'avais perdu connaissance, le trou noir. Je m'étais réveillé sept heures plus tard, Antoine me regardait. Je m'étais secoué sur ma couchette en lui demandant ce qui s'était passé, j'étais sorti et avais reconnu le port d'Étretat. Antoine m'avait dit que je m'étais écroulé sans prévenir, il m'avait allongé dans la cabine et avait ramené le bateau en espérant que ça n'était qu'un malaise. Mon patron m'avait donné quelques jours de repos, le médecin m'avait prescrit une cure de magnésium. Nous n'avions pas retenté de voguer jusqu'à l'Angleterre par la suite.

« Tu m'écoutes ? »

Je la regardai.

« Qu'est-ce que je viens de dire ? » sourit-elle.

Je lui demandai de m'excuser, elle me dit qu'à Londres, il y avait aussi un zoo, le palais de la reine et des avirons sur la Tamise, elle regarda le calendrier accroché dans la cuisine en disant que nous pourrions peut-être organiser un week-end avant l'été. Dans les jours qui suivirent, je ne lui parlai pas non plus de ma discussion avec le père de Torpédo, qui avait posé une couronne à Antoine. J'étais allé le voir quand il était venu chercher son fils à la fin d'un cours, j'avais été assez direct, nous nous connaissions bien, je lui avais demandé s'il pouvait me communiquer le numéro de Sécurité sociale d'Antoine pour que je retrouve sa trace et il avait rigolé. Il m'avait dit qu'Antoine, justement, avait tenu à ce que son nom n'apparaisse nulle part, paiement en liquide, pas de feuille de soins, rien.

« Même l'empreinte de sa mâchoire, m'avait-il dit, il n'a pas voulu que je la prenne. Il avait un cousin prothésiste, je crois, il a tenu à ce que la couronne soit faite par lui, etc. Il était d'une méfiance incroyable. Je ne peux rien vous dire de plus, je n'ai rien compris. »

J'avais tenté de prendre un air détendu et avais déclaré que ça n'était pas grave. Il avait soupiré, disant qu'il y avait des gens bizarres et avait ajouté que le petit Torpédo refusait de retourner à L'Antonelle depuis que Christelle n'était plus là.

« C'est vrai, m'avait-il dit, elle est gentille, la nouvelle, mais il manque quelque chose, non ? »

Alice se vit augmentée sur sa paye suivante en remerciement de sa mission londonienne. La perspective d'une promotion se précisait de jour en jour. « Levillier » + « prothésiste » n'avait rien donné sur Internet, « couronne » + « Antoine » non plus. L'assistante du directeur partait en retraite d'ici un an et, après un stage intensif de comptabilité, rien ne semblait s'opposer à ce qu'Alice la remplace. La maison d'Antoine et Christelle n'avait pas été relouée, l'urne mauve prenait la poussière.

« Tu m'écoutes ?

— Oui, excuse-moi. »

Mais ce soir-là, elle ne sourit pas. Elle reposa sa fourchette en me regardant. Elle avait l'air triste, elle s'affaissa d'un coup, elle me dit qu'elle n'y arrivait plus, qu'elle était épuisée. Je voulus la prendre dans mes bras mais elle se dégagea, elle cria « Lâche-moi ! » et se leva, elle se mit à pleurer en tremblant, j'étais désarmé. Elle répéta qu'elle n'en pouvait plus, que je n'étais plus qu'une ombre, je tentai de la calmer mais elle me hurla de me taire, elle me dit que je lui mentais.

« Je ne sais pas ce que tu fais, cria-t-elle, mais je n'en peux plus ! Tu me dis que tu es resté ici et je trouve un ticket de parking dans la voiture, Rouen, place Saint-Marc. Tu me dis que tu viens de rentrer et d'allumer l'ordinateur et je vois qu'il est connecté depuis trois heures, tu sautes sur le téléphone dès qu'il sonne, tu ne parles plus ! »

Je bredouillai je ne sais quoi, elle sanglotait, les mains sur son visage. Je lui touchai tout doucement les épaules et elle se laissa faire, je l'enlaçai. Elle souffla qu'elle était à bout de forces, qu'elle avait tout essayé pour que nous nous relevions mais que nous avions échoué. Elle dit qu'elle n'arrivait pas non plus à penser à autre chose, qu'elle était terrifiée, qu'elle avait l'impression qu'on nous observait jour et nuit, qu'elle ne traversait pas le salon sans que l'urne et la véranda ne lui sautent à la gorge. Elle dit enfin que ça faisait plus de six mois que nous étions rentrés de La Réunion et que notre vie, depuis, n'avait été qu'une suite de faux-semblants, de mensonges et de vaines tentatives. Je pleurai aussi, dans les bras l'un de l'autre.

Et nous avons décidé de nous sauver. Laisser les transports Jourdain et le club nautique derrière nous. Quitter La Sauvagère et partir loin d'ici.

Le premier couple de visiteurs a été conquis. Nous avons signé la vente chez maître Martineau. J'ai embrassé mes mini-Tabarly, Torpédo m'a souhaité bon vent. Les Morin aussi. Le directeur d'Alice a regretté son départ. Nous avons jeté l'urne mauve, mis nos meubles au dépôt-vente et vendu la voiture. Nous n'avons emporté que deux valises et de l'espoir plein la tête.

Nous sommes partis vivre au Canada.

VI

Nous n'avions aucun contact là-bas. Nous arrivâmes, blottis l'un contre l'autre, un visa de trois mois dans les poches et le pécule de la maison sur notre compte. Nous n'avions pas peur, nous étions excités. Nous marchions main dans la main. Nous fîmes toutes les petites annonces, prêts à accepter n'importe quoi. Alice cherchait plutôt dans le secrétariat, mais au Canada, parler anglais, c'était monnaie courante. Et les postes de moniteur de voile étaient aussi rares qu'en France. Ça ne nous découragea pas, nous n'étions pas venus ici pour réussir nos vies professionnelles.

C'est moi qui trouvai en premier. Vendeur dans un grand magasin de sport. Rien ne concernait la mer hormis quelques maillots de bain mais le directeur trouva que mon accent serait assez adapté aux sports de montagne. La France, c'était les Alpes, le mont Blanc, les jeux olympiques d'Albertville. Je me retrouvais à faire essayer des chaussures de rando, juger de la solidité des mousquetons et mesurer les cordes de varappe. Alice démarra peu après comme femme de chambre dans un immense hôtel. Aspirateur, le lit au carré, la salle de bains, le rouleau de papier, le petit savon, le tout le plus vite possible. Le soir, nous nous écroulions dans notre chambre.

Au terme des trois mois, nous pûmes produire nos deux contrats de travail et obtînmes le droit de rester. Nous cherchâmes un appartement, nous trouvâmes un petit deux pièces, un loyer pas trop élevé et des papiers peints cauchemardesques. Mais nous étions bien. Nous avions fui pour sauver notre amour, le dos tourné au passé. Les grands espaces nous tendaient les bras.

Les mois passèrent, nous avions pris nos marques. Nous avions fini par retapisser l'appartement à nos frais et, saison oblige, je passais maintenant mon temps à lacer des Moon Boots et vendre des lunettes ou des combis de ski. Alice avait trouvé une place de secrétaire au sein d'une entreprise de charpente et s'y plaisait. Le mois de décembre s'acheva et nous fêtâmes le nouvel an en tête à tête dans un joli restaurant de Montréal.

Au cours des jours qui suivirent, nous appelâmes tous nos copains de France, la famille, les amis. Nous n'avions pas trop donné de nouvelles par téléphone depuis que nous étions là, nous avions surtout communiqué par courriel. Entendre les voix nous fit du bien, le frère d'Alice prenait l'accent québécois, le petit Torpédo nous demandait si l'on mettait des slips en fourrure, tout le monde poussait des cris quand nous parlions des moins quarante en plein hiver. Au milieu de tous ces coups de fil, un jour qu'Alice était au travail, j'appelai les Morin. Puis les nouveaux propriétaires de notre maison. Comme ça, pour voir. Quand je raccrochai, je me suis senti coupable, comme si je venais de reprendre une cigarette après six mois d'abstinence. Tout avait l'air d'aller.

Quelques semaines plus tard je passai avec succès un entretien sur les rives du Saint-Laurent et nous déménageâmes peu après. Alice devenait incollable sur tous les types de charpente et d'assemblage. Moi, je retrouvais la voile en été et les scooters des neiges en hiver. Et puis nous finîmes par acheter une maison près de Matane où un jour, un matin, Alice me dit que cela faisait sept ans que nous partagions nos vies. Pour l'occasion, elle avait un cadeau magnifique : elle était enceinte de deux mois.

Nous avons fait deux petits Québécois. Léo est né en avril et Charlotte, quinze mois plus tard. Je voulais l'appeler Léa mais Alice n'avait pas trouvé ça drôle. Au village-vacances qui m'employait, nous recevions de nouveaux vacanciers toutes les semaines. En été, je m'occupais principalement des cours de voile sur le Saint-Laurent. On embarquait à cinq ou six et l'on partait, la plupart du temps pendant cinq jours, à la découverte du fleuve et des baleines. En hiver, c'étaient les raquettes, le ski de fond et les raids en scooter dans la poudreuse. Tout était fait pour donner aux clients un parfum d'aventure et c'était parfois bien réel. On fonçait par moins cinquante jusqu'au prochain refuge. Le soir, on buvait un vin chaud en se repassant du baume sur les lèvres. Les groupes de touristes étaient en majorité américains, certains venaient d'Europe mais c'était plutôt rare. On organisait des séminaires d'entreprises pendant lesquels, bien souvent, l'adultère surgissait un soir pour aller se consommer en douce à l'abri des mélèzes, des groupes de vacances spécial célibataires où vieilles filles et grands timides redoublaient d'astuces pour faire la vaisselle ensemble, des élèves modèles à qui les parents avaient offert le séjour en récompense du diplôme obtenu et qui, une fois sur place, ne pensaient plus qu'à boire et dégueuler partout, des citadins venus chercher le retour aux sources, des familles argentées venant ressouder les liens, on avait de tout et la beauté des paysages finissait toujours par produire le même effet sur chacun. Au bout de quelques jours, tous ces clients, quels qu'ils soient, et moi, nous n'étions plus que des personnes toutes simples, impressionnées par tant de grandeur. C'est souvent à ces moments-là que les célibataires trouvaient le moyen de partager leur couchette, que les cadres arrêtaient de parler du boulot et que les étudiants commençaient à moins boire. Les séjours se terminaient dans le calme et parfois dans l'émotion. Quand nous allions les chercher à l'aéroport avec les minibus, nous embarquions des gens assez sûrs d'eux, rigolards et bruyants. Au retour, c'était souvent le silence, en tout cas ça ne braillait plus. Une semaine ou quinze jours plus tard, ils avaient entendu leur cœur battre, fait des centaines de kilomètres sans croiser personne et vu des baleines se retourner sous leurs yeux, coupés du monde.

Ça produisait le même effet sur moi. Quand je rentrais et que je retrouvais Alice, Charlotte et Léo, j'avais toujours l'impression d'être plus neuf que la fois précédente, je trouvais toujours Alice encore plus belle. Nous n'étions retournés en France qu'une seule fois, pour le mariage de son frère, et ses parents étaient venus passer une semaine chez nous l'été suivant. Il m'arrivait encore de penser à Antoine et Christelle, à l'histoire de la véranda et aux cendres de mon père, mais c'était différent, j'avais pris confiance. Dans les premiers temps, j'en étais arrivé à croire qu'Alice et lui avaient eu une relation, j'avais tout suspecté en secret puis je m'étais ressaisi, j'avais regardé les choses en face, nous étions tous les deux, nous avions sauvé le principal. Léo faisait ses premiers pas et Charlotte sifflait ses biberons d'une traite, nous étions sains et saufs et notre amour était intact.

Aujourd'hui, j'arrivais à me dire que je connaîtrais tôt ou tard la vérité, quoi qu'il arrive, sans chercher à la découvrir. Je me disais qu'un jour, quelque chose ou quelqu'un referait surface et que je serais là pour tout voir et comprendre. À chaque nouvel an, je continuais d'appeler les Morin et nos successeurs dans la maison. Je faisais ça en douce, comme un gamin, je souhaitais nos bons vœux en tâtant le terrain. Nous n'avions habité Étretat qu'un an et demi et les nouveaux y étaient maintenant depuis bien plus longtemps, c'était devenu leur maison beaucoup plus que la nôtre. Je leur demandais toujours si tout se passait bien, s'ils n'avaient pas eu de mauvaise surprise. Ils devaient me trouver bizarre. Je raccrochais en me disant que ça n'était pas encore pour cette fois et la vie canadienne reprenait son cours. Parfois, nous pensions faire un petit troisième.

Dans le fond, j'espérais si fort découvrir un jour ce qui s'était passé, qui étaient vraiment Antoine et Christelle et ce qu'ils avaient fait des cendres de mon père, je voulais tellement savoir que j'avais fini par me convaincre qu'il était impossible que ça n'arrive pas. J'étais persuadé qu'un jour, dans un an, dans dix ans, dans trente ans, je saurais ce qui s'était passé.

On recevait chaque semaine les photos des prochains vacanciers à l'accueil, on les triait pour former les groupes et je me disais que je tomberais un jour sur eux, je me mettais à imaginer qu'ils débarquaient pour un raid ou une minicroisière, je nous voyais tous les trois dans le refuge un beau soir, eux paniqués quand j'enlèverais mon passe-montagne. Ou en bateau, en embarquant, on leur présenterait leur guide, moi, calme, et eux, pris de panique. Je me disais qu'un jour ou l'autre nous nous retrouverions face à face, qu'il y aurait des larmes et peut-être des coups. Parfois, je tapais leurs noms sur Internet. Il n'y avait toujours rien. Pas grave. Nous nous étions relevés. Le frère de Paul Serinen devait tenir son restaurant au Pérou, ses parents devaient continuer leur vie dans leur HLM. En Belgique, un vieux aux cheveux blancs devait couler des jours paisibles. Moi, je barrais sur le Saint-Laurent. Alice était une mère magnifique et nous avions les plus beaux enfants du monde.

Les semaines, les mois et les années passèrent et je n'oubliai pas. Il restait quelque chose, caché dans un coin de ma tête et prêt à surgir, qui marinait depuis notre retour de La Réunion. Cela ressortit huit ans plus tard parce que la télé était restée allumée. Alice était allée coucher les enfants, je finissais de débarrasser la table. C'était la pub. J'emportais les assiettes dans la cuisine, c'est là que ça arriva, pendant la pub. Une pub pour une eau minérale, toute en musique et sans paroles, quand je fixai l'écran sans en revenir. Quand je reconnus Christelle.

VII

C'était elle. Sa belle peau noire tranchait sur le bleu de la bouteille, son sourire éclatant, elle était assise à une table, seule sur une terrasse pleine de soleil, elle buvait un verre d'eau et regardait l'objectif, un air de violon, elle me souriait. Le spot devait durer vingt secondes, elle disparut et Alice revint, nous nous fîmes un thé. J'étais ailleurs. Je ne lui en parlai pas. C'était Christelle.

La semaine suivante, j'emmenai les commerciaux d'une concession Chrysler contempler les baleines. Quatre gaillards et deux pin-up, un bain de minuit et quelques belles photos. J'étais obsédé. À mon retour au village-vacances, j'empruntai la place de la secrétaire, j'allai sur le site de Volvic, la page s'ouvrit sur elle, Christelle, et sur tous les mérites de l'eau de source. Parmi les infos et les mentions légales, je trouvai l'agence qui s'occupait de la communication, le siège était à Paris. Je les appelai, les mains moites et la voix tremblante. À l'autre bout, la fille me demanda ce qu'elle pouvait pour moi. Je dis que je cherchais à joindre la comédienne de la pub, elle me donna le contact de son agent, parisien aussi. Je

111

restai assis sans rien faire, incapable du moindre mouvement.

Je le gardai deux semaines avec moi dans la poche. J'avais tellement attendu ce moment que je ne savais plus comment m'y prendre, je ne savais plus quoi lui demander, que lui dire. Parfois, j'en venais presque à espérer m'être trompé. Alice regardait plus la télé que moi durant la semaine. Elle avait sans doute vu le spot aussi et ne m'en avait pas parlé. Mais quand je retournais sur le site, c'était bien son sourire et mes doutes s'écrasaient. Alice ne voulait peut-être pas réveiller de vieux démons. J'appelai son agent.

Il me dit qu'elle s'appelait Noémie. Il refusa de me donner ses coordonnées. Il me dit de rappeler jeudi, elle serait là. J'ai attendu et, le jeudi, je confiai la barre à un des jeunes diplômés, celui qui avait le moins bu la veille, je descendis dans ma cabine et pris mon souffle, je pensai à Étretat, à Alice, à mon père, j'appelai et il me la passa, j'entendis sa voix joviale me dire « Allô » et je restai sans voix.

« Allô ? »

Elle avait le sourire, ça s'entendait, le timbre franc, joyeux.

« Christelle ? » bredouillai-je.

Il y eut un silence, très court.

« Qui est à l'appareil ?

— C'est Matthieu, dis-je. C'est toi, Christelle ? »

Elle ne répondit pas.

« Je t'ai vue à la télé, dans cette pub. Je t'ai reconnue. Je ne vous en veux pas. »

Elle soupira. Elle ne disait rien.

« Je ne vous en veux pas, répétai-je. Je veux juste savoir ce qui s'est passé.

— Je ne sais pas, s'excusa-t-elle. Je ne sais pas du tout pourquoi on m'a demandé de faire ça.

— Ça, quoi ? »

J'avais la main crispée sur le téléphone. Elle parlait doucement.

« Moi, j'étais serveuse à Bruxelles quand ils sont venus me voir. Ils me payaient dix mille euros par mois pour jouer ce rôle-là, j'ai accepté.

— Mais quel rôle ? Et Antoine ?

— Je ne sais pas, peut-être qu'Antoine était payé aussi. Sans doute. Il n'avait pas l'air de savoir non plus pourquoi on était là.

— Je ne comprends rien », balbutiai-je.

Elle prit son souffle et me prévint qu'elle avait ordre de garder le silence. Mais vu le temps écoulé, elle pouvait me dire ce qu'elle savait.

« De toute façon, je ne sais pas grand-chose », ajouta-t-elle.

Elle était serveuse dans une brasserie, à l'époque. Célibataire et sans enfant. Joyeuse, accueillante. Elle vivait dans un petit studio et un vieil homme aux cheveux blancs était venu un soir à elle à la fin de son service, il avait un chauffeur, une grosse berline noire et un garde du corps. Ils l'avaient emmenée faire un tour sur le périphérique et le vieux lui avait alors fait une proposition. Elle emménagerait à Étretat avec un jeune homme, Antoine. Elle s'appellerait Christelle. Ensemble, ils ouvriraient une crêperie. Ils logeraient dans une petite maison en pierres et auraient un jeune couple comme voisins immédiats. Le travail consisterait à devenir amis avec ce jeune couple et tenir au mieux la crêperie comme si de rien n'était. Cela pouvait durer quelques mois seulement ou bien plusieurs années, on n'en savait rien. En échange, un virement des plus généreux serait effectué tous les mois sur son compte. Et, à son signal, elle pourrait déguerpir et disposer du pactole.

« Mais… Et Antoine, dis-je, vous étiez bien ensemble ?

— Pas du tout, non… »

Je n'en revenais pas.

« Il avait été recruté lui aussi ? »

Elle ne savait pas. Ils avaient passé un an sans presque se parler en dehors des soirées partagées avec nous. Le soir, une fois couchés, ils avaient si peu de choses en commun qu'ils en oubliaient parfois de se souhaiter bonne nuit.

« En tout cas, rigola-t-elle, je ne sais pas d'où il sortait, lui, mais pas d'une cuisine. Il avait dû suivre un petit stage de crêpier mais pas plus ! »

J'étais sonné, je n'arrivais pas à y croire.

« Mais tous les souvenirs que vous aviez ensemble, le lycée, le Nord…

— On nous a donné quinze jours pour tout apprendre, tout était écrit sur des grandes feuilles, notre passé commun, quelques dates, des lieux, des noms de copains. On ne s'en est pas beaucoup servi, d'ailleurs.

— Et c'était quand ?

— À peine trois semaines avant qu'on emménage. Tu te souviens, tu nous avais aidés à porter un canapé. »

Elle avait ralenti au fur et à mesure qu'elle parlait. Elle remuait de lointains souvenirs. J'étais bouleversé et je crois qu'elle était émue.

« Vous ne vous êtes jamais revus, alors ?

— Non. Vous êtes partis en vacances, vous alliez à La Réunion. Le jour même, j'ai fait ma valise et je suis rentrée chez moi. C'était fini. »

Il y eut un silence.

« Tu sais, je suis vraiment désolée, je ne peux rien te dire de plus, je ne sais pas pourquoi on m'a fait faire ça. Vous m'avez manqué aussi… »

Elle était rentrée à Bruxelles et avait trouvé son compte en banque débordant d'euros. Elle avait songé à s'offrir un petit restaurant, une crêperie, peut-être, ou un bar. Elle avait cherché un peu et avait trouvé dans le même temps une troupe de théâtre amateur, son expérience d'Étretat lui avait donné le goût des planches.

« Et puis, en fin de compte, je n'ai rien acheté. J'essaye de faire l'actrice. Ça progresse doucement, j'ai des petits rôles de figuration et là, cette pub. »

Je lui dis qu'elle était radieuse. Je lui dis aussi que nous avions deux enfants, que j'étais content de l'entendre. Elle habitait Paris depuis quelques années, elle était toujours célibataire.

« Et… tu ne t'appelles pas Christelle…

— Non, avoua-t-elle. Je m'appelle Noémie. »

Nous nous parlions comme si nous ne nous étions pas vraiment quittés, c'était troublant, je faisais pour de vrai sa connaissance. Je lui racontai notre retour, l'urne de mon père et la véranda neuve. Elle n'en revenait pas. Elle me répéta qu'elle n'avait aucune idée de ce qui s'était tramé, elle s'excusait et je lui disais qu'elle n'y était pour rien. Je lui dis aussi que nous nous étions exilés pour sauver notre amour et que nous y étions parvenus, je lui confiai que j'avais même soupçonné une liaison entre Alice et Antoine, elle me rassura.

« Je ne pense pas, non. Je me suis demandé des fois si Antoine ne préférait pas les hommes. En tout cas, je ne lui faisais pas très envie, moi ! »

Nous parlâmes près d'une heure. Au moment de raccrocher, elle me donna son numéro et me dit de lui téléphoner lors de notre prochain voyage en France. Je lui avouai que je l'appelais en cachette, qu'Alice et moi ne parlions plus de ça depuis des années.

« Oui j'imagine, soupira-t-elle. Je comprends. Je

suis désolée pour les cendres de ton père. Je ne sais pas. »

Puis après une pause :

« Je ne devrais pas te le dire. Tout ce que je sais, c'est que le vieux vient d'Anvers. Il est diamantaire. Il s'appelle Verpraat. »

Je la remerciai fort. Elle me dit d'embrasser Alice si je lui racontais un jour notre discussion et nous raccrochâmes en nous disant au revoir, je l'appelai Noémie.

Je suis remonté sur le pont, j'étais sidéré. Les diplômés tenaient le cap. Ils s'étaient tous mis à poil. D'ordinaire, j'aurais peut-être rigolé ou au moins fait semblant. Là, ça m'est passé au-dessus. J'ai proposé une bière et nous avons trinqué sous le soleil. Je remettais dans l'ordre toutes les paroles de Noémie. Je ne risquais pas de tomber sur « Christelle et Antoine Levillier » sur Internet. Nous avions été complètement perdus avec cette véranda toute neuve. Je découvrais huit ans plus tard qu'un vieux milliardaire belge était derrière tout ça. Le même vieux aux cheveux blancs qui s'était rendu au chevet de Paul Serinen.

Verpraat, Anvers, diamantaire. Et les cendres de mon père.

VIII

Je le vis enfin en photo. Outre les pierres précieuses, le vieux semblait se passionner pour les chevaux et obtenir dans ce domaine de belles réussites. Le premier cliché le montrait aux côtés du jockey vainqueur du prix de l'Arc de Triomphe, dix ans plus tôt. Le deuxième, avec le même jockey remportant le prix d'Amérique. Sur le troisième cliché, il était seul, caressant un pur-sang magnifique, Beau du Sol. Je fixais l'écran en tentant de distinguer quelque chose autour sans rien trouver, pas de second plan, juste son visage et son costume sombre. Aucune indication supplémentaire, deux lignes seulement sur les diamants et rubis et son nom apparaissant çà et là dans quelques ventes aux enchères d'étalons. Rien sur Étretat, pas de Paul Serinen en vue, pas d'Antoine à l'horizon. On était au milieu de la nuit, tous les vacanciers dormaient. Le lendemain, on les ramènerait à l'aéroport. Et moi, j'embrasserais Alice, Charlotte et Léo, chargé d'un secret supplémentaire.

Je retrouvai le calme peu à peu. Je n'en parlai pas à Alice. J'aurais dû. Je ne voulais pas lui rappeler tout ça, lui faire peur à nouveau. Les paroles de Noémie et le nom de Verpraat étaient gravés dans un coin de

117

ma tête et, avec elles, la certitude que j'apprendrais un jour la vérité, que, tôt ou tard, l'occasion se présenterait, que je me retrouverais face à Verpraat et qu'il m'expliquerait tout.

J'aurais sans doute pu patienter encore longtemps. J'aurais pu rester encore longtemps sans chercher à provoquer le destin. Cela faisait huit ans que je vivais avec ce mystère et j'aurais pu attendre huit ans de plus. Je gagnais du terrain tout doucement, je grignotais des indices, la toile se tissait. J'avais la certitude que Verpraat finirait par s'y faire prendre et que je serais là, dans l'ombre. L'été se déroula doucement et l'occasion se présenta un matin du mois de septembre, quand mon patron me parla du salon du loisir qui se tiendrait à Paris, porte de Versailles.

« Ça dure quatre jours, c'est dans un mois, me dit-il. J'ai pris un stand pour faire la promo du village-vacances et j'aimerais bien que ce soit toi qui le tiennes. Tu es français, tu auras un bon contact. Ça pourrait nous faire gagner des clients. »

J'avais écouté, vissé sur mon siège. Octobre, c'était aussi la vente des *yearlings* à Deauville. Et Verpraat ne semblait pas en louper une.

« Si ça te dit, tu prendras une semaine de vacances dans la foulée, ça vous donnera l'occasion de rendre visite à vos familles avec Alice. »

Je savais déjà que je partirais seul. L'automne était la saison la plus chargée dans la charpente, on faisait les travaux en prévision de l'hiver, on bouclait les chantiers en cours, on tentait de se faire payer les arriérés pour clôturer le bilan. C'est là qu'Alice faisait ses plus grosses journées.

Nous nous rendîmes à l'aéroport tous les quatre, Léo voulait voir l'avion décoller. Charlotte marchait depuis peu, je la portais dans mes bras. Alice tirait ma valise. Je partais pour douze jours, une semaine pour le salon et le reste pour quelques embrassades. Nous étions en avance, nous nous assîmes devant un chocolat dans une cafétéria. Alice avait les mains jointes autour de sa tasse, sa grosse écharpe à carreaux autour du cou. Ses yeux verts pétillaient. Elle avait Charlotte sur ses genoux, brune comme elle, qui regardait tout autour. Léo me pressait de questions sur le vol qui m'attendait, je lui avais promis de lui rapporter des photos prises à bord. Les pieds d'Alice étaient croisés dans les miens, elle me souriait. Et puis la voix d'une hôtesse dans les haut-parleurs nous informa que les passagers du vol 813 étaient attendus à l'enregistrement. Nous marchâmes ensemble jusqu'à la salle d'embarquement où il nous fallut nous séparer. J'embrassai nos enfants très fort, je leur dis d'être sages et que je rentrerais vite, je dis que, dans quinze jours, nous irions dire bonjour aux baleines. Je pris Alice dans mes bras, nos joues l'une contre l'autre. Je ne lui avais pas dit ce qui m'attendait là-bas mais elle sentait ma tension, je le savais. Je lui dis de ne pas s'inquiéter, les mains autour de son visage. Elle m'enlaça encore, la tête contre mon épaule, elle me serra fort et me murmura qu'elle était enceinte. La voix de l'hôtesse résonna pour un ultime appel, je passai le portique, chamboulé, nous nous fîmes de grands signes jusqu'à ce qu'ils disparaissent et j'embarquai comme en apesanteur.

J'étais dans la rangée centrale, ému aux larmes, je ne pus pas voir Léo qui devait agiter ses bras dans tous les sens en direction de l'avion.

J'assurai le salon du mieux que je pus. Mon stand était calé entre deux agences de voyages vantant les joies du Kenya pour le premier et le frisson des croisières finlandaises pour le second. Moi, je trônais au milieu des posters québécois, des vues aériennes magnifiques de la Gaspésie sous la neige, des traîneaux à chiens, le Saint-Laurent et ses navigations paisibles, un orignal et la fabrication du sirop d'érable. Je distribuais des prospectus à tout-va, renseignant les hommes désireux de jouer les trappeurs une semaine, rassurant les femmes sur les températures ou les facilités de paiement. La plupart des promeneurs tombaient en arrêt devant la beauté des paysages et un sur trois au moins s'exclamait « Tabernacle ! » en me jetant un coup d'œil complice à la vue de ces étendues sauvages. Je me fendais d'un sourire tout en continuant mon boulot de commercial. Le soir, je retrouvais mon hôtel tout près de là, presque entièrement occupé par d'autres exposants. Ça discutait tourisme au restaurant et jusque dans les couloirs. Je comptais les jours et chaque heure qui passait me stressait davantage. Je mélangeais tout. Verpraat et Deauville m'obsédaient, le ventre bientôt rond d'Alice et ces huit ans passés valsaient dans ma tête. Je me disais que ce troisième enfant marquerait la fin du traumatisme, qu'il serait le point final à tous ces questionnements. J'appelais tous les soirs avec mon portable, nous parlions peu de temps, ça coûtait une fortune, chacun pensait à l'autre et l'on s'embrassait fort.

Le salon prit fin. Le comité d'organisation remercia les exposants devant un verre et dévoila les chiffres d'une fréquentation record. On pouvait, si on le souhaitait, réserver dès maintenant pour la prochaine édition. J'appelai mon patron, il était ravi. Je lui dis que j'allais rester à Paris, en profiter pour visiter quelques musées et, surtout, aller au cinéma, voir les acteurs français sans l'accent québécois. Il rigola. Il me souhaita de bien me reposer et me félicita encore, il avait déjà eu trois retours par téléphone. Je bouclai ma valise et appelai la gare.

On était le 12. La vente des *yearlings* commençait le lendemain.

IX

Octobre 2014

La belle gare de Deauville avec ses colombages. Je sortis et restai un instant sur le parking à regarder autour. Ça me rappela quelques souvenirs. Depuis tout ce temps, ça n'avait pas l'air d'avoir tellement changé. Il y avait du soleil. Je marchai vers le centre et trouvai Les Trotteurs, un petit PMU qui louait cinq ou six chambres. J'installai mes affaires et redescendis prendre un café au comptoir. Quelques parieurs fixaient l'écran, ticket en main. Sur une table près de l'entrée, il y avait des revues de sport hippique, j'en feuilletai une, ça parlait des *yearlings* et de Kid du Ventoux en particulier, dont tous les spécialistes disaient qu'il serait l'attraction des enchères. Un beau cheval brun clair et prometteur. Je finis mon café avant l'arrivée de la course, le patron le mit sur ma note et je partis vers la digue.

Je commençai par me rendre à l'office de tourisme, je pris les brochures des différents hôtels de la région en me concentrant sur les plus beaux. Verpraat n'était sans doute pas mon voisin de palier. Après un tri rapide, j'avais une quinzaine de palaces.

Je retournai boire un café. J'allai au Café de Paris.

Je me demandai s'il y avait un Café de Deauville à Paris. Je fixais la table sans parvenir à me détendre, je me disais qu'il était encore temps de reculer, de rentrer, je retardais le moment où je sauterais, où je me mettrais à le chercher. J'étais timide, je voyais les serveurs autour de moi dans leur tenue noir et blanc, j'avais l'impression d'être un imposteur, de mentir à tout le monde, je me disais que Verpraat était peut-être à quelques mètres et ça me paralysait.

J'aurais dû partir. J'aurais dû retourner à mon hôtel, refaire ma valise, régler la chambre pour les deux heures et rentrer chez nous. J'aurais dû tout arrêter là. Ça faisait huit ans que je vivais avec cette histoire et je croyais en souffrir, j'étais persuadé de vouloir savoir, je croyais que les questions me hantaient, je croyais que j'étais malheureux, mais j'avais fait le plus dur – maintenant je le sais –, je croyais que j'étais rongé, mais j'étais presque guéri. J'avais tellement attendu que je n'ai pas pu reculer, je n'en ai pas eu la force – j'y étais presque. Je croyais que je n'avais vécu jusque-là que pour ça et je me trompais. Si j'avais pris un peu de recul, je me serais rendu compte que j'étais heureux, qu'Alice et les enfants m'apportaient tout et que je n'avais plus besoin du reste. Si j'avais relevé les yeux, j'aurais vu que ma vie était ailleurs. J'aurais dû rentrer. Je ne sais pas ce qui m'a manqué. La main d'Alice dans la mienne, sans doute. Mais j'étais obsédé, convaincu que je voulais savoir. Et seul. Je n'ai pas réussi. Durant les deux jours suivants, je n'ai pas trouvé l'énergie de faire machine arrière, je me suis plongé dans cette histoire en pensant qu'il me fallait en connaître la fin, sans me douter que je n'en avais plus besoin.

Je payai mon café et sortis. Je cherchai Verpraat. J'aurais dû partir, ça ne m'intéressait plus mais je ne le savais pas encore. Tout ça, je me le suis dit trop tard. Tout à l'heure, quand je suis tombé nez à nez avec Antoine.

Je pénétrai dans le Normandy. Le chasseur me salua, je répondis, d'emblée désarçonné par tant d'égards. Je marchai vers la réception. Une fille superbe m'accueillit, un sourire impeccable. Je demandai si monsieur Verpraat logeait ici, elle me répondit que non sans baisser les yeux vers le registre. Je demandai si elle savait où je pouvais le trouver, ça ne dura que quelques secondes, un type de la sécurité arriva dans son costume gris et me pria de bien vouloir sortir. Je plaidai que je ne souhaitais déranger personne, juste lui parler, il me raccompagna sans me donner plus d'explications et me regarda m'éloigner. J'allai au Royal en tentant de me ressaisir, j'entrai d'un pas plus franc. La réceptionniste me dit que monsieur Verpraat n'était pas client de l'hôtel. Quand je lui demandai où il se trouvait, elle me dit que ce genre de personnalité gardait le secret sur son lieu de résidence.

« Mais il est bien à Deauville en ce moment ?

— Je n'ai pas à vous renseigner, monsieur. »

Un molosse en gris clair marchait vers moi, je reculai vers la sortie sans rien ajouter, maudissant ces palaces et leur confidentialité.

Je traînai dans Deauville tout l'après-midi en imaginant les suites possibles. Je ne pouvais pas espérer l'approcher au moment des ventes, celles-ci se déroulaient à l'abri des regards, la salle était réservée aux enchérisseurs potentiels. L'unique façon de le débusquer était de le croiser en ville ou dans le hall de son hôtel. Je tentai ma chance à la Villa Joséphine, à La Closerie, au Castel, partout me fut faite la même réponse, non il ne logeait pas là. Le soir, dans ma chambre, je pris l'annuaire et étendis mes recherches aux localités voisines, d'Honfleur à Cabourg jusque dans l'arrière-pays, Pont-l'Évêque, Saint-Gatien. Le lendemain matin, je louai une voiture et je sillonnai la côte, je fis toutes les réceptions, je foulai toutes les moquettes anglaises, je vis tous les lustres en cristal, j'admirai toutes les dents blanches de ces filles à l'accueil, je posai mes mains sur tous les comptoirs en marqueterie du secteur, je croisai le regard méfiant de plusieurs vigiles et je n'appris rien de plus. Le nom de Verpraat était connu partout mais aucun de ces palaces ne souhaitait m'en dire davantage. Il était pourtant bien à Deauville, un article le citait dans le *Paris-Normandie*, disant qu'il pourrait acquérir Kid du Ventoux vendredi. Mais il était introuvable.

Je revins en ville en début de soirée, j'allai rendre la voiture et m'offris une bière face à la mer. Il me restait deux jours avant de redécoller vers le Canada. J'avais enfoncé des portes ouvertes. J'avais l'impression de me débattre dans le vide. Je marchai mains dans les poches jusqu'à une pizzeria abordable, le Taormina, je mangeai en songeant que Verpraat possédait peut-être un haras pas loin de là et qu'il était inutile de le traquer dans les hôtels. Mais sa propriété serait une forteresse et l'on m'arrêterait avant que j'aie fait le moindre pas vers lui. Je me vengeai sur une tarte aux pommes en dessert, je payai et sortis. J'avais pris une décision : le lendemain je ferais le siège de la salle des ventes, je le verrais arriver de loin et je l'interpellerais, il ne me restait plus que ça à faire.

C'est en sortant de la pizzeria qu'ils vinrent me voir, ils m'attendaient. Ils m'appelèrent, ils étaient trois, un grand costaud, un qui tenait un trousseau de clés et le troisième, à lunettes, qui parla. Ils avaient de beaux costumes sombres.

« Vous souhaitez voir monsieur Verpraat ? »

Je sursautai sans comprendre et j'acquiesçai, sur la défensive.

« Monsieur Verpraat désire vous voir, me dit-il. On vous emmène ? »

De toute façon, je n'aurais pas eu le choix mais, sur le coup, je n'y pensai pas. Nous marchâmes vers une grosse berline aux vitres noires, le balèze s'installa à l'arrière avec moi et celui au trousseau démarra.

« Nous n'en avons pas pour longtemps », précisa le troisième en se retournant.

Après quelques kilomètres, je compris que je ne risquais pas de trouver Verpraat ni dans les hôtels ni dans les terres. Nous nous arrêtâmes sur le port, le chauffeur partit garer la voiture. Nous longeâmes la rive. Puis on me désigna du bras un yacht magnifique dont l'acajou luisait sous la lune.

« Nous sommes arrivés », me sourit-il.

X

Octobre 2014

Une fois à bord, ils m'ont fait lever les bras. Le balèze m'a palpé et m'a vidé les poches, il a pris mon téléphone, la clé de ma chambre et ma carte bleue. Puis nous avons traversé le pont arrière et descendu un escalier en bois. En bas, le troisième a ouvert une porte et m'a fait pénétrer dans un salon immense. Il est resté en retrait. J'ai fait trois pas timides sur le tapis, impressionné par tant de luxe. Au fond, un feu crépitait dans la cheminée. Et puis j'ai sursauté. Installé dans les grands canapés, Verpraat m'invitait à prendre place. En face de lui, il y avait Antoine.

Je suis resté debout, planté là, à le regarder. Il me fixait aussi. Il avait un peu vieilli, il s'était encore dégarni. Il avait toujours cet air intelligent et calme.

« Vous connaissez mon fils, a dit Verpraat. Je vous en prie, installez-vous. »

J'ai accusé le coup sans réagir. J'ai contourné un des gros canapés, je ne le quittais pas des yeux, j'ai fait des petits pas, méfiant. J'avais l'impression de voir un fantôme.

« À ce propos, a repris Verpraat, il s'appelle Thomas. »

Je me suis assis calmement et j'ai mis les mains sur mon visage. C'est là que je me suis dit que je n'aurais pas dû venir et qu'il était trop tard.

« Peu importe », ai-je soufflé.

Je me suis relevé pour partir et Verpraat m'a retenu chaleureusement, il m'a dit qu'ils me devaient une explication, que je n'avais pas fait ce long voyage pour ne pas apprendre la vérité et je me suis rassis brusquement.

« Qu'avez-vous fait des cendres de mon père ? » ai-je lâché.

Ils se sont regardés, incrédules. Antoine a soupiré, les yeux dans le vague.

C'est Antoine qui a commencé. Il m'a dit que j'avais certainement fait beaucoup de recherches pour arriver jusque-là et que j'avais dû tomber un jour sur le nom de Paul Serinen. J'ai opiné en silence. Il s'est levé et s'est mis à marcher doucement. Il regardait le sol en mesurant ses mots. Parfois, il tournait les yeux vers moi avant de reprendre, j'avais l'impression qu'il était désolé.

Paul Serinen avait croisé la route du clan Verpraat presque dix ans plus tôt sur les pistes de Courchevel. Antoine et sa sœur n'avaient rien vu de suspect chez ce truand discret. Il s'était présenté comme courtier en objets d'art, il avait fait preuve d'une belle culture et d'une grande aisance, le tout associé à un regard bleu acier qui avait charmé Mathilde. Et puis il y avait eu le champagne et l'ivresse des cimes, les draps de soie sur le toit du monde, la drogue et les orgasmes. Un soir, Mathilde en avait trop dit. Elle avait trahi le secret des méthodes de convoyage.

« Trois semaines plus tard, on se faisait voler à l'aéroport d'Anvers sans que personne ne comprenne rien à ce qui s'était passé. Moi, je me suis fait larguer en pleine nature. Mon père s'est fait percuter en ville par un touriste, sans doute un complice, mais aucune enquête n'a jamais rien donné. On ne sait toujours pas vraiment comment il s'y est pris. »

Verpraat avait aussitôt réagi et fait passer le mot qu'il offrait à quiconque le double de la valeur de la pierre en échange de la tête de Paul Serinen. Les receleurs n'étaient motivés que par l'argent, le piège allait se refermer très vite. Mais les semaines étaient passées sans aucune nouvelle du diamant. Ils avaient cherché dans toutes les directions et n'avaient rien trouvé, le truand avait soit disloqué le caillou pour l'écouler morceau par morceau, soit caché, gardé avec lui pour toujours. Mathilde, qui s'était en prime fait voler toutes les photos qu'elle avait pu prendre de lui, s'était vue mise au banc du clan et envoyée dans une maison de repos en Suisse. Elle y était toujours aujourd'hui, à ressasser ses souvenirs.

Antoine s'est arrêté et m'a regardé. Il m'a dit, comme pour se justifier, qu'il s'agissait du Magnolia, le plus gros diamant du monde.

L'histoire n'avait resurgi qu'un an plus tard quand Paul Serinen, qui avait entre-temps écopé de huit ans de prison pour un braquage antérieur, avait confié sur son lit de mort l'endroit où le Magnolia était caché. La petite infirmière du CHU de Rouen m'avait dit qu'un vieux Belge aux cheveux blancs lui avait rendu visite le dernier jour et j'ai fait le rapprochement. Dans sa chambre d'hôpital, ce jour-là, Paul Serinen avait dû lui confesser son crime. La maison avait été mise aux enchères selon ses dernières volontés. Verpraat devait l'acheter mais la vente avait été décalée en raison du verglas. Quand le marteau avait claqué, la berline noire roulait vers Étretat. Quand ils étaient arrivés, Alice et moi étions propriétaires de La Sauvagère depuis quelques heures.

Ils avaient étudié toutes les manières de récupérer le joyau et n'en avaient trouvé qu'une. Le cambriolage n'était pas envisageable, il aurait nécessité plusieurs jours de travaux. L'unique solution qu'ils avaient trouvée était de se lier d'amitié avec nous jour après jour, de connaître nos habitudes et nos emplois du temps et, surtout, d'attendre. Qu'on parte en voyage. Qu'on s'absente deux semaines.

Antoine avait suivi un stage de crêpier, ils avaient recruté Noémie, ils avaient appris leurs rôles et loué la maison voisine, ouvert L'Antonelle, et tout avait commencé. J'étais stupéfait.

« Pourquoi vous ne nous avez pas proposé de nous acheter la maison ?

— Vous auriez accepté ?

— Non, c'est vrai... »

XI

Octobre 2014 (suite)

J'ai fini par me détendre. J'écoutais Antoine sans me résoudre à me convaincre qu'il s'appelait Thomas. Je le revoyais derrière ses crêpières, et maintenant, sur ce yacht en compagnie de son père, j'avais le dos calé dans le canapé et je ne parvenais pas à lui en vouloir. Tout ça me dépassait. Même quand il a avoué qu'il m'avait drogué quand nous voguions vers Portsmouth dans le but de me jeter par-dessus bord, je n'ai pas vraiment eu peur. J'ai pris ça comme une démesure de plus, comme si on m'avait raconté une histoire qui ne me concernait pas.

« Je n'ai pas pu », m'a-t-il avoué.

Les mois avaient passé, puis nous avions évoqué ce voyage à La Réunion. Ils avaient tout préparé, ils connaissaient nos dates exactes de départ et de retour, ils avaient engagé une entreprise belge aux camions tout blancs, trouvé un couple d'acquéreurs pour L'Antonelle et donné congé à Noémie. Nous étions partis le vendredi et, dès l'après-midi, les ouvriers démantelaient la véranda. Deux semaines plus tard, tout était reconstruit à l'identique, le trésor en moins. C'est en redisposant les meubles que mon drame s'était pro-

131

duit. La maladresse d'un ouvrier allait m'empêcher de bien dormir pendant plusieurs années. L'urne funéraire contenant les cendres de mon père lui avait glissé des mains et avait explosé sur le damier noir et blanc. Ils avaient couru en tous sens pour retrouver la même sans se douter que la différence me sauterait au visage. Ils avaient mis le chauffage à fond pour faire sécher les joints du carrelage et avaient disparu. On rentrait quelques heures plus tard.

Je ne sais pas ce qui se serait passé si l'urne n'avait pas été remplacée, si j'avais retrouvé l'orage sur la mer, la cheminée d'usine ou son profil dans les marbrures. L'intention des Verpraat était de ne laisser aucune trace, de ne rien modifier à notre vie, de récupérer le Magnolia puis de disparaître. Nous aurions juste trouvé étrange la disparition soudaine d'Antoine et Christelle. Nous n'aurions sans doute pas remarqué la brillance des clous de la toiture et monsieur Morin n'aurait sans doute jamais fait allusion aux travaux. La vie aurait peut-être continué. Je ne sais pas.

J'ai regardé Antoine et je lui ai demandé pourquoi ils n'étaient pas restés quelques mois de plus pour éloigner tout soupçon.

« Nous avions déjà dépensé beaucoup d'argent. Nous étions certains que vous ne pourriez pas remonter jusqu'à nous. Et le seul but était de récupérer le Magnolia. »

La seule chose qu'ils n'avaient pas prévue, c'était que Noémie décide de tenter sa chance en tant qu'actrice. Elle devait au départ retrouver Bruxelles et son argent, acheter une affaire et se tenir loin de nous. Ils avaient sursauté aussi en voyant son visage dans ce spot publicitaire mais n'avaient rien pu faire, il était trop tard.

Je pensais à ce diamant fabuleux au-dessus duquel nous avions vécu un an et demi sans nous douter de rien. Et à Paul Serinen, brigand de haut vol, qui avait occupé cette maison avant nous. Je pensais à tout ce qu'il avait fallu de hasard pour que nous nous retrouvions au milieu de cette histoire, le vol, le cancer, les intempéries, l'urne et Noémie, tous ces événements qui nous avaient fait déménager de Sanvic à Étretat puis partir vivre au Canada et me trouver maintenant sur ce bateau.

« Dans le fond, ai-je observé, si Paul Serinen n'était pas tombé malade, vous n'auriez jamais su où se trouvait ce diamant, il ne vous l'aurait jamais dit.

— Si, m'a dit Antoine. On l'aurait de toute façon retrouvé. Un jour, on a reçu un appel, un receleur de Rotterdam, il savait qui avait fait le coup et voulait nous vendre le renseignement. Mais on savait déjà. »

Verpraat était resté silencieux. Il m'observait, calme, et parfois le regard dur. Il a décroisé ses bras et a ouvert la bouche, il a parlé lentement, j'ai eu l'impression que les souvenirs faisaient monter de la haine en lui.

« Ça n'est pas Paul Serinen qui nous a appris où se trouvait le Magnolia. »

Il a eu l'air dégoûté en prononçant son nom, « Paul Serinen », la mâchoire serrée.

« C'est son frère. Son minable de frère. »

J'ai repensé à la photo, sa tête de brute et son restaurant au Pérou. Verpraat s'est durci. Il m'a raconté que Karl Serinen les avait appelés un matin, il était resté vague et avait prétendu tout savoir, il leur avait fixé rendez-vous dans une brasserie et avait précisé qu'une valise de billets serait nécessaire à tout échange d'information. Verpraat s'y était rendu, il était arrivé seul, plusieurs de ses hommes avaient pris place à des tables voisines et la discussion avait commencé. Le petit frère s'était vite embrouillé dans ses explications, Verpraat avait feint de le croire et l'abruti s'était cru fort. Ils s'étaient rendus sur le yacht pour finaliser la transaction.

« C'est là que ce minable a commis sa plus grosse erreur. Il n'a pas pu s'empêcher de me dire qu'il était le frère de Paul Serinen, il était tellement fier. »

Antoine me regardait en train d'écouter son père. Il avait l'air vaguement triste.

« Je lui ai demandé où se trouvait cette ordure, il n'a pas voulu me le dire. Alors il a fallu le faire parler. »

Je me suis raidi, cloué sur mon siège.

« Le caïd n'a pas tenu plus de cinq minutes, a tranché Verpraat. Il nous a tout balancé, l'adresse de la maison puis l'hôpital, les gardes devant la porte, la caméra dans la chambre.

— C'est affreux », ai-je soufflé.

Je pensais à la visite de Verpraat à l'hôpital et j'avais peur de comprendre. Il a laissé passer un silence, il avait un petit sourire.

« Nous lui avons fait écrire des cartes postales, a-t-il dit d'un air détaché, donner quelques nouvelles à la famille… »

J'étais horrifié.

« Je crois qu'il était déjà mort quand on l'a jeté par-dessus bord. »

XII

Octobre 2014 (suite)

Je bondis du canapé, je tremble de tous mes membres, Verpraat me dit de me rasseoir et je marche vers la porte, affolé. Je veux ouvrir, elle est verrouillée, je me tourne dans tous les sens, je me rue sur un hublot. Ils restent assis, ils me regardent faire et j'écarquille mes yeux d'effroi en tapant contre la vitre. On a quitté le port et je ne me suis rendu compte de rien. On est en pleine mer et je ne vois plus que l'horizon noir.

« Laissez-moi partir, je crie. Je m'en fous, de cette histoire ! Je ne dirai rien !

— On ne peut pas se permettre de prendre le risque, se désole Antoine. Tu es au courant de deux meurtres. »

Je jure que je garderai le silence, je le supplie de me faire confiance, je parle de notre amitié, je dis qu'il me connaît, qu'il peut me croire, je m'écroule, je pleure et je jure que je me tairai toujours.

« Relevez-vous, me dit Verpraat. Nous allons écrire des cartes postales. »

Deux molosses sont arrivés derrière moi, je me débats comme un lion mais ils me ceinturent, des larmes coulent sur mes joues et je hurle en les regardant, j'implore Antoine en essayant de me dégager et, dans un dernier sursaut, je dis qu'Alice donnera l'alerte en ne me voyant pas revenir.

« Elle sait que je suis ici », je crie.

Verpraat se lève, il se plante face à moi. Il me dit que j'ai voulu savoir toute l'histoire, que je l'ai cherché dans tous les hôtels de la côte et qu'il ne peut plus me laisser partir.

« Quant à votre femme, ajoute-t-il, elle vous croit à Paris. Mes hommes l'ont appelée il y a trois heures, pendant que vous dîniez. Et vous n'avez pas téléphoné depuis. »

Je tente de me libérer et les gardes du corps resserrent leur emprise, ils plantent leurs doigts dans ma nuque et ma colonne vertébrale, je me tords de douleur en criant que c'est faux, qu'ils n'ont ni notre adresse ni notre numéro de téléphone.

« Si, me coupe Antoine. On sait où tu habites depuis hier. C'est Noémie qui nous l'a dit. »

Verpraat a sorti des cartes postales d'un secrétaire et a voulu que je les remplisse, j'ai résisté et les molosses m'ont tabassé, ils m'ont fracturé plusieurs côtes, je n'arrive plus à respirer, j'ai le bras gauche cassé et du sang dans la bouche, je ne vois plus que d'un œil et mes oreilles me brûlent, je pleure, les larmes m'entaillent la peau. Ils m'ont fait asseoir au bureau, Antoine me tournait le dos, il ne voulait peut-être pas me voir souffrir. J'ai écrit sous la dictée, ma main tremblait, j'ai voulu dire que ça ne servait à rien, que ça ne passerait jamais et les coups ont redoublé, j'ai obéi, j'ai donné des nouvelles de la France et du reste du monde, je m'excuse d'avoir disparu et je souhaite le bonheur à ma famille. Je pleurais. Verpraat me disait qu'ils posteraient ces cartes à des périodes de plus en plus espacées. Il me disait aussi qu'ils conserveraient mon téléphone quelque temps sans jamais répondre aux appels afin de faire croire à ma fuite.

« Vous nous avez facilité la tâche, m'a-t-il dit à l'oreille. Nous avons retrouvé pas mal d'argent dans votre portefeuille, vous avez effectué un gros retrait à Paris avant de venir ici. Vous ne vouliez laisser aucune trace de votre passage à Deauville sur votre relevé de compte. »

Le piège que j'ai voulu tendre s'est refermé sur moi. Je suis brisé et, dans quelques heures, on va me jeter dans la mer glaciale, je vais couler à pic et disparaître. Verpraat me donne tous les détails, il brise tous mes espoirs les uns après les autres sans que je réagisse, il me dit que ses hommes ont réglé ma note aux Trotteurs en récupérant mes affaires, il me dit que les réceptions des hôtels l'ont prévenu dès le premier jour qu'un inconnu le cherchait, qu'ils m'ont fait suivre et aussitôt reconnu. Je n'entends presque plus. Antoine est venu près de moi et m'a regardé dans les yeux, il a eu une sorte de douceur dans la voix, il m'a dit qu'il était désolé pour les cendres de mon père et pour la suite, mais que le Magnolia passait avant tout le reste. Il me répète que je sais trop de choses et qu'ils ne peuvent pas me laisser repartir. Je le supplie une dernière fois, je balbutie tant bien que mal que j'ai deux enfants, qu'Alice est enceinte, mais Verpraat coupe court. Ses deux molosses m'empoignent et me traînent dans la salle des machines. Il nous suit. Pas Antoine.

Ils ont ouvert la grosse porte en métal et m'ont fait passer le sas. Le vrombissement des moteurs m'a transpercé les tympans. Ils m'ont fait traverser la salle, il faisait une chaleur écrasante. Au fond, ils ont ouvert une autre porte et m'ont poussé dans un réduit, j'ai trébuché et je me suis écroulé dans le noir. La lumière s'est allumée, Verpraat avait la main sur le commutateur, ses deux hommes derrière lui. Il s'est approché, j'ai tourné la tête et j'ai tressailli pour la dernière fois de ma vie. Tout près de moi, là, par terre, il y avait Noémie, sa belle peau noire couverte de boursouflures.

« Elle est morte, il m'a dit. Elle a été moins docile que vous. »

Je me suis mis à trembler frénétiquement. Il a marché vers moi.

« N'ayez pas peur, m'a-t-il dit en souriant. Nous ne vous toucherons plus avant de vous abandonner au large. »

Je suis presque mort, il semble y prendre du plaisir et m'explique à voix basse qu'ils ont appelé Noémie pour une séance photo quand ils ont su que j'étais à Deauville. Ils ont fait le rapprochement tout de suite, ils ont su que je l'avais vue dans cette pub et ont décidé de l'éliminer aussi.

« Mais elle, nous n'avons pas eu à lui faire remplir de carte postale, elle n'a aucune famille. C'est d'ailleurs pour cette raison que nous l'avions recrutée à l'époque. »

J'ai mal partout mais la douleur m'anesthésie, je suis engourdi, je serai peut-être mort aussi avant qu'ils me balancent. Verpraat est penché sur moi, je ne distingue que la forme noire de son costume. Il détache bien les mots. Il me dit que je n'aurais pas dû tenter d'en savoir plus, je n'ai plus de larmes pour pleurer, j'ai les yeux presque clos, il me dit qu'il est désolé pour mon père. Il me dit aussi que si ma curiosité va bientôt causer ma perte, il m'a promis dans le salon qu'il me raconterait toute l'histoire.

« Je vous dois encore une petite explication »,
ajoute-t-il.

Il se penche, son visage tout près du mien. Je sens
son souffle chaud dans mon oreille. Il me dit qu'il a
eu, tout à l'heure, le sentiment que j'avais nourri une
sorte d'admiration à l'évocation de Paul Serinen par
son fils Thomas. Il parle lentement, il répète « Paul
Serinen » plusieurs fois. Je ne perçois plus de hargne
dans sa voix, il me demande si ce nom ne m'évoque
pas quelque chose, il parle d'Étretat, il dit « Étretat,
Paul Serinen », il y a des silences et je ne réagis pas.

« Vous voulez savoir qui était Paul Serinen ? »
tranche-t-il.

J'essaie de le regarder en face. Il me dit que Paul
Serinen se prenait pour le prince des voleurs mais
qu'il n'en était qu'une pâle imitation. Qu'il se prenait
pour un gentleman mais qu'il n'avait aucune classe.

« Paul Serinen, finit-il par me dire doucement, c'est
une anagramme. »

Il se relève et fait quelques pas, je change l'ordre
des lettres, je mélange tout, je m'embrouille et tout
ça m'est égal. Il revient sur moi.

« C'est l'anagramme d'Arsène Lupin. Il se prenait
pour son incarnation, un esthète, le grand ordonna-
teur. Il croyait survoler le monde et mener toutes les
danses. »

Paul Serinen. Arsène Lupin. C'est vrai, c'est l'anagramme et je ne m'en étais jamais rendu compte. Verpraat est redevenu dur, il me dit que Paul Serinen,
justement, n'était qu'une anagramme. Qu'il se mettait
en scène comme un héros de roman, mais ça n'était
qu'un petit voyou sans envergure, dévoré par la peur
et rongé par la haine, qu'il n'avait rien du gentleman
cambrioleur.

« Quand nous avons déterré la petite caisse en métal

de sous votre véranda, me dit-il, savez-vous ce que nous y avons trouvé ? »

Je fais non de la tête et la douleur me vrille le cou.

« Il avait soi-disant éprouvé quelques sentiments pour ma fille. Sur son lit de mort, il avait voulu lui transmettre un baiser. Et dans cette caisse en métal, il y avait des photos d'elle et lui, toutes pornographiques. Paul Serinen fixait l'objectif de son regard dur, ma fille était soûle, hagarde, et Paul Serinen jubilait. C'était une ordure. »

Ses paroles me passent au-dessus. Je l'entends parler, il se durcit encore, plus de huit ans après, toute cette histoire continue de le remplir de colère et je vais bientôt mourir.

« Et le Magnolia, dit-il enfin. Le plus gros diamant du monde. Brisé en des milliers de morceaux. Cassé avec acharnement, réduit en poussière, inexploitable. Voilà ce qu'il y avait dans cette petite caisse en métal. Ma fille humiliée et la haine de Paul Serinen. »

Il se relève. Il pause la main sur mon épaule, je sursaute de douleur.

« Vous savez tout, dit-il avant d'éteindre la lumière et de sortir. Voilà qui était Paul Serinen. L'histoire est terminée. »

Octobre 2014 (fin)

Et puis le noir. Voilà.

J'en suis là. Je me suis remis à pleurer. J'ai peur.

J'entends le ronronnement des moteurs, on file vers je ne sais où depuis plusieurs heures, je suis à bout de forces. Tout se mélange dans ma tête et je ne sais plus où j'ai mal.

Nous nous sommes aimés à Étretat, nous nous

sommes aimés sur le plus gros diamant du monde cassé en mille morceaux sous nos pieds. Nous n'en savions rien, nous n'y étions pour rien. Christelle s'appelait Noémie, elle est morte, elle est à côté de moi, c'est ma faute.

Alice est enceinte, notre petit troisième naîtra dans sept mois. Alice, je t'aime.

Je vais retrouver mon père.

Épilogue

I

J'ai toujours aimé les petites jeunes. Je sais pas pourquoi. Déjà à l'internat, quand tous mes copains de dortoir secouaient leur matelas en pensant à la surveillante, une belle nana d'une trentaine d'années, une vieille, moi j'en avais que pour les filles des classes inférieures. Ça n'a jamais changé. J'en ai presque soixante aujourd'hui et je suis toujours attiré que par des gamines de seize ans. Dix-sept à la limite. Pour ça, au Havre, on est vernis. Ça doit être le cas dans tous les ports, ici il y a plein de filles, des nouvelles chaque semaine. Elles arrivent d'on ne sait où par bateau avant d'être envoyées dans tous les pays d'Europe, on est les premiers à pouvoir en profiter. Ça donne l'impression d'être un privilégié, on a la primeur. Il paraît qu'à Rotterdam, c'est encore mieux, je sais pas, j'y suis allé qu'une fois. Évidemment, il faut être un minimum vigilant mais je commence à connaître. Et puis les proxénètes me connaissent aussi, on se respecte. Non, là où il faut se méfier c'est avec les flics. Ils s'en occupent pas trop mais un coup de temps en temps ça les prend, ils font une descente, contrôle et lampe torche dans la gueule, etc., tout le monde dehors, à poil dans la lumière des gyrophares. Et là, ça pardonne pas, les filles sont clandestines, les clients détournent des mineures, tout le monde y passe. La plupart du temps il y a en prime de l'alcool et de la drogue. Heureusement, ce genre de contrôle est plutôt rare.

Et puis moi j'ai du flair. C'est même mon métier. Quand je sens que quelque chose rôde, je m'arrête pas, je continue ma route, je me contente de regarder les filles à travers mon pare-brise et je pense à elles avant de m'endormir. Finalement, si la police faisait plus de rondes vers les docks, je ferais peut-être des économies.

Enfin de toute façon, avec tout ce que je sais sur tout le monde ou presque, je risque pas grand-chose. J'ai appris à me protéger, j'ai pas mal de cartes en réserve. Je peux m'autoriser quelques écarts et ils le savent. Je leur en ai fourni la preuve la dernière fois qu'ils m'ont serré. Ils voulaient me charger, me sucrer ma licence, tout ça parce que je sautais une pute de seize ans à l'arrière de ma bagnole. Ça date, c'était il y a au moins dix ans, mais mon coup d'éclat, je suis sûr qu'ils s'en souviennent. Dans les bureaux du commissariat quand je leur avais mis le marché en main, ils avaient sauté de joie, tu parles, un gros poisson contre un petit coup d'éponge, pour eux c'était l'aubaine. Faut dire que le tuyau était de taille, ils fermaient les yeux sur l'âge de ma petite chérie d'un soir et, en échange, je leur donnais le nom et l'adresse d'un braqueur en cavale, photos à l'appui. Je leur avais dit quelle affaire ça concernait, ils s'en souvenaient même plus. Ils avaient feuilleté le classeur de portraits-robots et je les avais arrêtés sur celui de mon homme. Ils avaient lu les chefs d'accusation, braquage, séquestration, menaces de mort, ils avaient eu un petit sourire narquois, ils me prenaient pour un charlot. Mais moi je m'étais pas démonté, je savais ce que je disais.

« Il s'appelle Paul Serinen, j'avais dit. Il habite Étretat. »

Avril-mai 2003

Filatures discrètes, anonymat garanti. Surveillance, prise de renseignements, rapport détaillé sur l'emploi du temps des suspects. Dans la plupart des cas, quelques jours suffisent pour conforter le client dans ses doutes, sa femme se fait secouer par un collègue de travail pendant la pause déjeuner, son mari fait reluire une danseuse dans un studio du centre-ville, voilà l'adresse, les photos. Je fonctionne au forfait, une semaine d'enquête minimum, c'est toujours assez. Parfois, j'ajuste mes honoraires en fonction de ce que j'ai découvert ou des risques que j'ai pu prendre, j'arrange ça à ma sauce et je monnaye des rallonges. C'est un peu la routine, tous les adultères se ressemblent, le conjoint effondré, la soif de vengeance, les pièces à conviction pour le divorce.

Alors quand, il y a une douzaine d'années, j'ai reçu ce coup de fil me demandant de pister trois semaines de suite ce serveur d'Honfleur, sur le coup je ne me suis pas posé de questions. L'interlocuteur voulait garder l'anonymat, j'avais senti qu'il camouflait sa voix mais c'était pas la première fois, la gêne du cocu, c'était monnaie courante. J'avais trouvé une enveloppe de billets dans ma boîte aux lettres et un portrait du type à suivre. Le client voulait un rapport le plus détaillé possible, un travail de fourmi, minute par minute, l'argent qu'il dépensait, même le nom du journal qu'il achetait, un vrai maniaque. D'habitude, le mari jaloux me faisait surveiller sa femme plutôt que l'amant, mais après tout, chacun ses méthodes, je m'étais mis au boulot.

J'ai épié ce gars trois semaines, je n'ai rien loupé, j'ai noté le moindre de ses mouvements. Loufiat sur le port d'Honfleur, un peu dealer, vaguement pickpocket, gigolo à ses heures. Je restais des journées entières à le regarder mener ses petites affaires, lire *Libération*, même faire l'aller-retour à Paris juste pour aller boire un verre au dernier étage de la tour Montparnasse. Et je m'étais vite rendu compte qu'il n'y avait pas la moindre femme mariée dans son paysage. Le soir, je tapais mon rapport en commençant à me demander quel intérêt ça pourrait présenter. Je continuais mes planques en me répétant les paroles du client, sa discrétion, le paiement en liquide, sa voix trafiquée et ce mec insignifiant qui donnait dans l'arnaque, tout ça mis bout à bout, j'avais fini par me dire que ça cachait sans doute autre chose. Alors quand l'enquête a pris fin j'ai voulu savoir qui m'avait appelé. Il m'avait chargé de lui envoyer les résultats dans une boîte postale de la banlieue parisienne. Il m'a suffi de me cacher quelques jours devant ce bureau de poste et d'attendre. J'ai l'habitude. Il avait pris cette adresse à Paris pour brouiller les pistes, et moi, je l'ai baisé du premier coup : l'enveloppe contenant les documents, je l'avais fabriquée moi-même. Toute bleue. Unique. Quand j'ai vu ce type sortir avec mon beau colis fait maison dans les mains, j'ai su que c'était lui.

Je l'ai mitraillé, il a rien vu, je l'ai suivi en bagnole jusqu'à chez lui, à Étretat. J'ai noté l'adresse de sa maison, La Sauvagère, et je suis rentré développer mes beaux clichés. Ça m'a pris une bonne partie de la nuit, sa tête me disait quelque chose mais c'était flou, je ne savais plus si je l'avais déjà suivi ou si son visage avait paru dans la presse ou quelque part ailleurs. Ses photos étalées sur le bureau, je ressortais des vieux dossiers en espérant faire un rapprochement. Et puis tout d'un coup je suis tombé sur ce portrait-robot. Un braqueur. Des sacs à main Vuitton, un chargement complet. Vol couvert par les assurances, dossier mis de côté. Mais, quand même, menace de mort, arme, séquestration, pas un débutant. C'était lui. J'en revenais pas.

II

Juin 2003-novembre 2004

Il m'en a fait bouffer, des kilomètres. Une vraie girouette. Des fois, il faisait deux cents bornes pour passer une heure dans un cybercafé, souvent il prenait sa voiture, il allait jusqu'à Honfleur boire un coup sur le port, je voyais le petit serveur lui apporter sa tasse sans sourciller, il le buvait tranquille et il rentrait, je comprenais rien. J'essayais de boucler mes affaires au plus vite et je passais tout mon temps libre dans ses traces. J'ai pas vraiment réussi à savoir comment il s'y est pris, là il faut reconnaître qu'il avait mis au point une technique assez subtile. Il me manque deux ou trois pièces, même à moi qui l'ai pourtant suivi plusieurs mois. Il faisait bosser des types à sa place, ça c'est sûr, et parmi eux il y avait le serveur. Par contre, ce qui m'intrigue encore, c'est que j'avais l'impression que le serveur le connaissait pas. Tout devait se faire par téléphone et Serinen tirait les ficelles, mais comment il avait mis ça en place, j'ai jamais trouvé. C'est pour ça que les flics ont jamais réussi à remonter jusqu'à lui, d'ailleurs.

S'il avait su que c'était moi qui l'ai balancé, il m'aurait maudit. Mais encore, j'ai été gentil, j'en ai dit le minimum, j'ai balancé que le petit braqueur, j'ai pas parlé de la suite. On sait jamais, ça peut servir. La prochaine fois qu'on me cherchera des poux dans la tête, je leur dirai que Serinen était derrière le vol des violons de cette comédie musicale de merde, j'ai toutes les preuves, j'y étais. Je l'ai vu, lui, sur sa moto, donner ses directives au téléphone, et ses trois gars. Ouvrir le car, pour le premier. Le deuxième qui charge et qui s'en va, l'autre qui revient crever le pneu, tout le bordel. J'ai au moins cent photos, j'ai même l'adresse du receleur, j'ai même des photos de Serinen qui rentre dans sa banque à Jersey. Avec ça comme monnaie d'échange, j'ai encore de belles heures de sensualité devant moi.

Au pire, si vraiment ça suffit pas, je leur parlerai du Magnolia. Là, c'est autre chose, personne connaît l'histoire, il y a jamais eu de plainte. Mais il y a eu des morts, au moins un. Je le sais. Ils me croiront peut-être pas, c'est tellement énorme. Sauf que là encore, j'ai des tas de photos. J'ai le nom du maçon et de son fils qui ont construit la véranda au noir. J'ai même une image superbe, c'est Paul Serinen au petit matin, assis sur une chaise. Les deux ouvriers coulent la chape de béton sur une caissette en métal, il a l'air largué, le regard imbibé, il assiste à ça les yeux mi-clos. J'étais derrière les arbres.

Il faut quand même que je l'admette, il y a quelque chose qui me fascinait chez ce mec. Je l'avais suivi quelques jours à la montagne mais il avait fallu que je rentre pour une nouvelle affaire. En même temps, niveau finances, j'aurais pas pu rester bien longtemps. Je l'avais vu sortir le soir dans cette boîte, L'Antidote, il faisait le beau au comptoir avec son moniteur particulier. Je l'avais vu parler à ce jeune couple, en me renseignant j'avais appris que c'étaient les enfants Verpraat, diamantaire. J'essayais de comprendre ce qu'il manigançait. Je me disais qu'il y aurait tôt ou tard gros à gagner. Trois semaines plus tard, je le voyais se planquer derrière un des piliers du hall F de l'aéroport d'Anvers et je reconnaissais le fiston Verpraat à sa descente d'avion. J'ai loupé deux ou trois trucs, je sais pas comment il a fait exactement, mais quand je l'ai vu dans le parking monter dans une voiture, ouvrir une valise et en extraire un GPS qu'il a glissé sous l'aile de la bagnole voisine avant de démarrer, j'ai su qu'il avait réussi son coup. J'ignorais ce qu'il y avait dans ce bagage, je pensais que c'étaient quelques pierres, ou peut-être des documents. Tu parles.

Pendant des mois j'ai été le seul à savoir qu'il planquait quelque chose sous sa véranda, sans savoir ce que c'était. C'est là que j'ai manqué de flair. J'ai juste cru qu'il gardait deux ou trois brillants pour lui, mes couilles, si j'avais fouiné un peu plus j'aurais entendu parler du Magnolia plus tôt et du contrat que Verpraat avait mis sur la tête de Serinen. Et j'aurais pas attendu de me faire surprendre par les flics pour le balancer. Si j'avais baladé mes oreilles du côté des receleurs, j'aurais appris que le vieux s'était fait voler le plus gros diamant de la planète et qu'il offrait le prix fort pour l'info. J'aurais touché le pactole. Mais non, ça m'est passé à côté. Alors j'ai gardé ça pour moi. Dans un sens, je pourrais me dire que je lui ai un peu sauvé la vie. Quand j'ai appris cette histoire de Magnolia il était bien trop tard, c'était des années après, Serinen était déjà mort et la vente aux enchères avait eu lieu depuis longtemps, la baraque m'était passée sous le nez à moi aussi.

J'avais essayé de me documenter sur Verpraat mais je n'avais pas trouvé grand-chose, une seule photo, aux côtés du jockey vainqueur du prix de l'Arc de Triomphe et juste deux lignes sur les pierres précieuses. Mais quand j'étais arrivé cet après-midi-là devant la salle des ventes de Fécamp après avoir manqué de quitter la route plusieurs fois, je l'avais reconnu tout de suite. Ils étaient cinq, il y avait son fils Thomas avec lui plus un chauffeur, un garde du corps et un type à lunettes. Ils étaient en pleine discussion avec le notaire, le gros Martineau, ça avait l'air de barder. Je m'étais approché en me disant que face à Verpraat et sa fortune, c'était râpé pour moi. Et là, coup de théâtre : la vente avait été décalée, la bicoque avait trouvé preneur le matin même, on arrivait trop tard. Verpraat était furieux. J'étais retourné à ma voiture et j'avais disparu le plus discrètement du monde. Je sais faire.

III

Décembre 2004-mars 2006

Et puis j'ai vu le petit couple emménager deux semaines plus tard. Ils dégoulinaient de bonheur, lui qui arrêtait pas de faire le con et elle qui rigolait. Une belle fille, d'ailleurs, un peu vieille pour moi mais elle avait quelque chose. J'étais allé inspecter la véranda de l'extérieur mais je voyais pas comment faire pour récupérer la caissette sans qu'ils s'en rendent compte. Alors je les ai regardés disposer leurs meubles, le canapé, la table basse, sans pouvoir rien faire. Dans un coin ils ont posé une urne funéraire. Et quoi, trois semaines après, j'ai vu le fils Verpraat s'installer à côté avec cette Noire et ouvrir une crêperie. Je rigolais tout seul. Ils servaient des galettes dégueulasses et elle qui souriait à tout le monde, tout ça pour garder l'œil rivé sur la véranda et le trésor englouti.

J'ai continué à faire un saut là-bas le plus souvent possible pour surveiller ça de près. J'ai des tas de photos de tout ce petit monde, Thomas/Antoine en train de sortir les poubelles du restaurant, Alice devant les transports Jourdain, elle et Thomas/Antoine en voiture, Matthieu en bateau avec ses petits élèves, Christelle au théâtre. Je sais pas d'où elle sortait, elle. Je l'ai vue il y a quelques semaines dans cette pub, je l'ai reconnue mais j'ai pas cherché à en savoir plus, j'ai décroché depuis longtemps, il me manque trop d'éléments. En gros, j'ai décroché le jour où le petit couple est parti en voyage et que j'ai vu les travaux. J'ai regardé jusqu'au bout, je les ai vus remettre les meubles et l'ouvrier qui laisse tomber l'urne, j'espérais qu'ils ouvriraient la caissette et que je verrais enfin ce qu'il y avait dedans, mais non, ils l'ont embarquée dans la bagnole et tout le monde a disparu, rideau.

J'ai encore fait quelques allers et retours mais ça m'excitait plus trop, il n'y avait plus rien à gagner. Je voyais le Matthieu qui courait dans tous les sens, il comprenait rien, il avait l'air paniqué, désemparé, il m'aurait presque fait pitié. J'ai failli l'appeler un jour pour lui proposer de tout lui expliquer. Mais ils gagnaient pas des masses ni l'un ni l'autre, j'ai renoncé. J'ai aussi pensé à faire parvenir à Alice les photos d'elle et Thomas/Antoine sortant d'un hôtel en plein après-midi. Mais c'est pareil, ça aurait foutu la merde, c'est sûr, mais ça ne m'aurait pas rapporté un rond. Et puis ça n'était arrivé qu'une seule fois, c'était pas suffisant.

Non, il fallait que je me rende à l'évidence, j'avais fait pas mal de trucs pour rien. Tant pis. La vie continue.

IV

Janvier 2015

Paul Serinen. Je sais pas pour qui il se prenait, celui-là, mais moi, il m'a pas pris pour ce que je suis. Il se la jouait invisible et courtois, le grand manitou dans l'ombre qui manipule son monde, il a dû tomber de haut. Si je voulais me donner bonne conscience, je ferais semblant de m'en vouloir, je me dirais qu'à cause de moi il est mort en taule, sur son lit d'hôpital. Mais de toute façon, son cancer, il l'aurait chopé n'importe où, j'y suis pour rien. Même Matthieu, le petit prof de voile qui s'est fait balancer en pleine mer, si je lui avais raconté toute l'histoire à l'époque, il serait encore en vie aujourd'hui. Je me suis dit ça en lisant l'article, il a été repêché dans des filets gorgés de maquereaux au large du Portugal, le corps à moitié bouffé, on a pu l'identifier grâce à la médaille qu'il portait autour du cou, ça devait être quelque chose. Personne ne sait ce qui s'est passé, il avait disparu depuis un mois, sa femme est effondrée, là-bas au Canada avec les deux marmots plus un troisième sur le feu. On comprend pas. Moi j'ai ma petite idée. Je suis sûr qu'il avait découvert je sais pas quoi et que Verpraat l'a fait liquider. Là encore, si je voulais me donner bonne conscience, je me dirais que j'ai mauvaise conscience, justement, je simulerais le remords, je prendrais un air grave devant ma glace et je murmurerais que j'aurais pu le sauver si je lui avais tout expliqué. Mais mon boulot, c'est pas de sauver des vies. Tout ce que je vois, c'est que grâce à Paul Serinen j'ai pu continuer à baiser peinard. Des morts, il y en a tous les jours. Il se passe plein de trucs autour de nous et la seule chose à faire, c'est d'essayer de tirer les bonnes cartes.

Si, j'ai eu un pincement quand même en lisant cet article. Je me suis rendu compte que j'avais décroché de cette affaire un peu trop tôt. Ça a pris par la suite des proportions que j'avais pas imaginées, huit ans après il y a encore des morts. Mais j'ai aucune preuve, c'est juste une intuition, dommage. Si j'avais été plus attentif, plus pugnace, j'aurais peut-être pu décrocher la timbale et prendre ma retraite un peu plus tôt en faisant chanter Verpraat. Au passage, j'aurais aussi risqué ma peau, il y a pas de regret à avoir. Et puis dans le fond, dans toute cette histoire, je m'en suis quand même pas trop mal tiré. Je me balade sur le port, je regarde les bateaux. Tous les matins, je bois mon café crème en parcourant les faits divers. Et tous les soirs, on me glisse des « je t'aime » dans des langues que je comprends pas. C'est pas facile d'être détective, c'est un boulot de solitaire. En contrepartie on connaît un tas de choses, des petits secrets, des grosses magouilles, parfois plus. Il y en a qui trouvent que c'est un boulot de fouille-merde. Pas moi.

C'est quand même marrant, la vie. Quand je pense à toutes ces pièces imbriquées les unes dans les autres pour que ça ressemble à quelque chose, des fois ça me donnerait presque le vertige. C'est ça, que j'ai bien aimé dans mon métier, remettre les éléments dans l'ordre, essayer de reconstituer le puzzle et voir où je pouvais me placer dans ce foutoir.

J'ai loupé le coche avec cette histoire de Magnolia mais dans l'ensemble, j'ai pas mal tiré mon épingle du jeu. Mieux que Serinen ou Matthieu, en tout cas. J'ai fait une belle petite carrière, mine de rien. J'ai pu faire deux, trois économies, j'ai tous mes trimestres et je bande encore. C'est déjà pas mal. En plus de ça, la semaine dernière, j'ai vu que La Sauvagère était en vente. C'est Martineau junior qui a repris l'office, il est un peu dur en affaires mais on a réussi à se mettre d'accord. J'aime bien cette bicoque, je trouve qu'elle a du charme, j'aime bien le nom. Et puis je suis le seul à en connaître toute l'histoire, hormis Verpraat. Je pense pas qu'il soit sur le coup, il a plus rien à foutre dans le coin, il a d'autres chats à fouetter.

Non, c'est moi qui vais l'acheter, je vais être bien là-bas. Je vais aménager ma chambre à l'étage, il y a une petite fenêtre ronde, on voit même un bout de la mer. À côté il y a une pièce sans ouverture. C'est peut-être là que Serinen mijotait ses coups avant que je le fasse coffrer et qu'il crève en prison. Et bien avant qu'il se fasse balancer en mer, Matthieu a sans doute imaginé qu'ils en feraient plus tard une chambre d'enfant. Ça fait trois mètres sur trois, avec poutres apparentes. C'est marrant que personne ait jamais fait casser un bout du mur pour laisser entrer la lumière. Mais pour moi ça tombe bien, ce sera mon placard à secrets. Je vais y mettre mes archives, mes milliers de photos. Les nuits où j'irai pas flâner sur les docks, je passerai peut-être quelques heures à feuilleter les albums. Et si jamais je sens une présence au-dessus de mon épaule, je rigolerai juste en gueulant que j'ai pas peur des fantômes.